ELE

AINDA REMOVE PEDRAS

Mainha,

Feliz dia da

Sou grata a Deu ai-
do pra ser minha te
do que eu sou, é o
cada dia mais, a senhora merece!
O o livro, deleite-se na
leitu creia: Ele ainda remove
pedr

Qu ós duas possamos continuar cami-
nhando lado a lado, rumo ao céu, que
é o nosso lugar.

Te amo!

08/05/11

ELE AINDA REMOVE PEDRAS

Você também precisa de um milagre

MAX LUCADO

TRADUÇÃO: EMIRSON JUSTINO

CPAD

Título do original em inglês: *He Still Moves Stones*
Word Publishing, Dallas, Texas, EUA
Primeira edição em inglês: 1993

Tradução: Emirson Justino
Preparação dos originais: Luciana Alves
Revisão: Kleber Cruz
Capa: Flamir Ambrósio
Adaptação de projeto gráfico e editoração: Olga Rocha dos Santos

CDD: 242 - Devocional
ISBN: 85-263-0543-3

As citações bíblicas foram extraídas da versão Almeida Revista e Corrigida, edição de 1995, da Sociedade Bíblica do Brasil, salvo indicação em contrário.

Para maiores informações sobre livros, revistas, periódicos e os últimos lançamentos da CPAD, visite nosso site: http://www.cpad.com.br

Casa Publicadora das Assembléias de Deus
Caixa Postal 331
20001-970, Rio de Janeiro, RJ, Brasil

1ª impressão/2010

À Família Oak Hills.

Que continuemos a crescer juntos;
e que, juntos, possamos continuar a crescer.

Agradecimentos

ESCREVER UM LIVRO E ATRAVESSAR o deserto são coisas muito parecidas. Grandes extensões de terra seca e plana são ocasionalmente marcadas por poços de inspiração. Este é um pequeno agradecimento aos queridos amigos que fizeram com que essa jornada fosse tão agradável. Obrigado por não reclamar enquanto estávamos na areia e por celebrar quando estávamos no oásis.

À minha assistente, Karen Hill. Você faz mais do que organizar o escritório e editar aquilo que escrevo. Você preserva a minha sanidade!

À minha editora, Liz Heaney. Tal como uma boa cirurgiã, seu julgamento é penetrante e seu bisturi, afiado.

À família da Word Publishing. A cada um de vocês: editores, artistas, secretárias, recepcionistas, equipe de vendas e aqueles que tomam decisões. Vocês são os melhores.

A Roy e Barbie Johnston. Obrigado por me emprestar sua cabana em Horseshoe Bay.

Ao diretor-executivo da UpWords Steve Green. Ninguém pode fazer o que você faz do jeito que você faz. Somos devedores a você.

A minha esposa, Denalyn. O que mais posso dizer? Você é a luz da estrela e eu sou Galileu. Seu brilho ainda me atordoa.

E, a você, leitor, reservo a minha saudação final.

Para alguns de vocês, este livro marca o nosso décimo encontro (feliz aniversário!). Para outros, este é o nosso primeiro encontro (prazer em conhecê-lo!). Para a maioria, estamos em algum lugar entre as duas extremidades (que bom ver você de novo!).

Você está prestes a me dar um dos bens mais preciosos: o seu tempo. Vou fazer de tudo para ser um bom mordomo. Embora escrever um livro possa ser semelhante a uma jornada pelo deserto, o ato de ler um livro não deveria ser. Ele deveria ser uma pausa para descanso num oásis. Espero que assim seja.

Beba com vontade.

Max Lucado

Sumário

O Pavio Fumegante

I

Caniços Rachados e Pavios Fumegantes

"Não quebrará o caniço rachado, não apagará o pavio fumegante..."

MATEUS 12.20 – NVI

IMAGINE UMA TARDE de sábado fria em outubro. Você já fez tudo o que precisava ter feito naquele dia. Sua tarde se mostra totalmente livre de obrigações. Tardes livres não são tão freqüentes como costumavam ser e, portanto, você analisa suas opções para aquele dia. Você pega um papel e começa a anotar algumas idéias. Um filme? Não está passando nada interessante no cinema. Televisão? Posso assisti-la a qualquer hora. Espere. O que é isso? Um anúncio no jornal chama sua atenção.

Exposição Especial de Arte

"Caniços Rachados e Pavios Fumegantes"

Sábado, das 14 às 16 horas

Biblioteca Lincoln

Humm... Já faz algum tempo que você não vê uma boa exposição de arte. Caniços Rachados e Pavios Fumegantes? Provavelmente alguma coisa relacionada à natureza. Além do mais, caminhar vai fazer bem. Você resolve ir. Deixa o jornal de lado, coloca um sebretudo e pega as luvas, pois está frio.

Você é recebido pelo cheiro de mofo dos livros enquanto cruza a porta da biblioteca. Por detrás do balcão, a bibliotecária usa um coque e tem um lápis atrás da orelha. Uma estudante com uma mochila colocada ao lado dos pés procura um livro numa gaveta repleta de fichas. Uma mesa cheia de velhos exemplares da revista *Life* se mostra como algo bastante interessante. Você começa a ler a edição que tem o presidente Truman na capa, mas um cartaz na parede relembra a razão pela qual você chegou ali. Nele está escrito: "Caniços Rachados e Pavios Fumegantes", com uma seta apontando para uma porta. Você atravessa aquele corredor e abre uma pesada porta dupla de madeira a fim de entrar num outro ambiente.

É uma sala com decoração bastante pessoal — não é maior que uma sala de escritório. Está repleta de prateleiras encostadas nas paredes, todas lotadas de livros. Um pedaço de lenha estala na lareira e duas poltronas com encostos bem aconchegantes convidam você a passar uma tarde na companhia de um bom livro. *Talvez mais tarde*, você pensa. *Primeiro, a arte.*

Existem várias pinturas colocadas naquela sala. Todas estão emolduradas. Todas possuem cores vivas, e estão apoiadas em cavaletes, uma de costas para a outra. Você tira as luvas, coloca-as no bolso do casaco, pendura seu sobretudo num mancebo e caminha em direção à primeira pintura.

É o retrato de um leproso, colocado no plano central da moldura. Ele está inclinado para frente como se fosse um corcunda. Sua mão sem dedos, enrolada em trapos, se estende na sua direção, implorando. Um pano esfarrapado esconde todo o seu rosto, exceto um par de olhos cheios de dor. A multidão ao redor do leproso está num verdadeiro caos. Um pai está agarrando um filho curioso. Uma mulher tropeça em seus próprios pés enquanto tenta fugir. Um homem olha por cima de seu próprio ombro no momento em que está correndo. As palavras do leproso definem o título da pintura: "Se você quiser, você pode..."

O próximo quadro retrata o mesmo leproso, mas a cena mudou dramaticamente. O título tem apenas duas palavras: "Eu quero". Nesta cena, o leproso está em pé, ereto. Ele está olhando para sua própria mão estendida — e ela tem dedos! O véu não mais está em seu rosto, e ele está sorrindo. Não existe uma multidão; somente uma outra pessoa está ao lado daquele leproso. Você não pode ver sua face, mas pode ver sua mão sobre os ombros daquele homem que foi curado.

— Isto não é uma mostra de pinturas sobre a natureza — você sussurra para si mesmo, enquanto caminha em direção ao próximo quadro.

Neste quadro, o pincel do artista capturou a imagem de uma mulher em pleno ar, pulando de um lado para o outro de um abismo. Suas roupas estão esfarrapadas. Seu corpo é frágil e sua pele é pálida. Ela parece anêmica. Seus olhos estão desesperados, enquanto suas mãos se movem em direção às paredes do abismo. No outro lado do precipício está um homem. Tudo o que você vê são suas pernas, suas sandálias e a barra de suas vestiduras. Na parte inferior da pintura estão escritas as palavras da mulher: "Se eu pudesse..."

Você se apressa para ver a cena seguinte. Agora, ela está em pé. O chão sob seus pés descalços é sólido. Sua face está cheia de vida. Seu olhar de cautela se volta para as pessoas que a cercam, fazendo uma meia-lua. De pé, ao seu lado, está aquEle a quem ela buscava tocar. A legenda? As palavras dEle: "Tenha ânimo..."

O próximo quadro é surrealista. A face contorcida de um homem domina toda a tela. Cabelos cor de laranja fazem contraste com um fundo lilás. Seu rosto está voltado para baixo e tem o formato semelhante ao de uma pêra. Os olhos são duas fendas perpendiculares nas quais milhares de pequenas pupilas estão pulando. A boca está aberta, como que congelada em um grito. Você percebe algo estranho — existem vários seres dentro dela! Suas vozes desesperadas estão representadas na legenda: "Juro por Deus que você não vai me torturar!"

Fascinado, você se dirige para o próximo quadro. É o mesmo homem, mas agora suas feições estão recompostas. Seus olhos não têm mais aquela aparência selvagem, estão arredondados e calmos. A boca está fechada e a legenda explica aquela paz repentina: "Liberto". O homem está inclinado para frente como se estivesse ouvindo atentamente. Sua mão está sob o queixo, e pendendo de seu pulso está uma algema e uma corrente — na verdade, uma corrente quebrada.

Em outro quadro, uma mulher com poucas roupas está amedrontada diante de uma multidão de homens furiosos que a ameaçam com pedras. No quadro seguinte, as pedras estão no chão, sem apresentar qualquer perigo, espalhadas num local ocupado apenas por uma mulher perplexa e um homem sorridente que está em frente de alguns desenhos feitos na areia.

Numa outra pintura, um paralítico deitado numa maca implora a seus amigos para que não desistam ao verem uma casa cheia de gente. No próximo quadro, a maca está sobre os ombros daquele rapaz, enquanto ele sai pela porta da casa.

O outro quadro mostra um homem cego gritando diante de um rabi. Na pintura seguinte, ele se curva diante daquEle a quem chamava aos gritos.

Por toda a galeria, a seqüência se repete. Sempre existem dois quadros: um de uma pessoa em grande dificuldade e outro da mesma pessoa em paz. Os testemunhos do "antes" e "depois" de um encontro que transformou suas vidas. Sempre há uma cena de serenidade eclipsando a tristeza. O propósito derrotando a dor. A esperança brilhando muito mais do que o sofrimento.

No centro da sala, porém, existe uma pintura solitária. Ela é diferente de todas as outras. Não existem rostos. Não há sequer pessoas. O artista mergulhou seu pincel numa antiga profecia e desenhou dois objetos simples: um caniço e um pavio.

> "Não quebrará o caniço rachado, não apagará
> o pavio fumegante..."
>
> Mateus 12.20 – NVI

Existe algo mais frágil do que um caniço rachado? Imagine um caniço rachado à beira d'água. Aquilo que uma vez foi um talo de cana firme e alto, está agora dobrado e partido.

Você é um caniço rachado? Faz muito tempo que você deixou de ser altivo, orgulhoso? Você estava erguido e esbelto, nutrido pelas águas, tendo suas raízes firmadas no leito da confiança.

Então, alguma coisa aconteceu. Você foi rachado...

por palavras duras,
pela ira de um amigo,
pela traição de um cônjuge,
por seu próprio fracasso,
pela rigidez da religião.

Você foi ferido e, desde então, está sendo dobrado. Era um talo erguido, mas agora está curvado, escondido no meio do junco.

Pense no pavio fumegante de uma vela. Será que existe alguma coisa mais próxima da morte do que um pavio fumegante? Antes, aceso; agora, trêmulo e enfraquecido. Ainda está quente em função das paixões de ontem, mas não existe mais fogo. Não está frio, mas está longe de produzir calor. Já faz muito tempo que você se inflamou na fé? Lembra-se de como você iluminava o caminho?

Então veio um vento... o vento frio, o vento cortante. Eles disseram que suas idéias eram tolas. Falaram que seus sonhos eram muito altos. As pessoas o repreenderam por você estar desafiando aquilo que já estava estabelecido.

O vento constante desgastou você. Sim, você permaneceu forte por alguns momentos (ou talvez por toda a vida), mas aquela tormenta infindável soprou sobre a chama bruxuleante, deixando você a um passo da escuridão.

O caniço rachado e o pavio fumegante. A sociedade sabe o que fazer com você. O mundo reservou um lugar para aqueles que foram abatidos. O mundo vai esmagar você; o mundo vai terminar de apagar o seu pavio.

Mas os artistas das Escrituras proclamam que Deus não vai fazer isso. Pintado em um quadro atrás do outro está o toque carinhoso de um Criador que tem um lugar especial para os abatidos e os fracos do mundo. Um Deus que é amigo daquele que tem o coração ferido. Um Deus que realiza seus sonhos. Este é o tema do Novo Testamento.

Este é o tema daquela galeria de arte.

Vamos passear pela galeria juntos. Vamos ponderar sobre as ocasiões quando Cristo se encontrou com as pessoas nos momentos em que elas passavam por grande dor. Veremos a profecia se cumprindo. Veremos os caniços rachados sendo fortalecidos e os pavios fumegantes sendo acesos.

É uma grande coleção de quadros. A propósito, seu retrato também está nessa galeria. Vá em frente, olhe para ele. Está logo ali, ao lado. Assim como os outros, existem dois cavaletes. Porém, ao contrário de todos os outros quadros, aquelas telas estão em branco. Seu nome está na parte inferior. Ao lado do cavalete existe uma mesa com tinta e pincel...

O Caniço Rachado

. . . .

Ele está lá, firme.
É alto e está seguramente erguido.
Mas isto foi antes do impacto implacável da forte chuva.
Agora, ele está rachado, curvado, enfraquecido.
Está à espera de dedos carinhosos que o fortaleçam e não o quebrem.
Precisa de um toque firme para ser curado, não para ser ferido.
Poder carinhoso.
Força suave.
Existe uma mão assim?

2

Inocente

Vencendo a Vergonha

Porém Jesus foi para o monte das Oliveiras. E, pela manhã cedo, voltou para o templo, e todo o povo vinha ter com ele, e, assentando-se, os ensinava. E os escribas e fariseus trouxeram-lhe uma mulher apanhada em adultério. E, pondo-a no meio, disseram-lhe: Mestre, esta mulher foi apanhada, no próprio ato, adulterando, e, na lei, nos mandou Moisés que as tais sejam apedrejadas. Tu, pois, que dizes? Isso diziam eles, tentando-o, para que tivessem de que o acusar.

Mas Jesus, inclinando-se, escrevia com o dedo na terra. E, como insistissem, perguntando-lhe, endireitou-se e disse-lhes: Aquele que dentre vós está sem pecado seja o primeiro que atire pedra contra ela. E, tornando a inclinar-se, escrevia na terra.

Quando ouviram isso, saíram um a um, a começar pelos mais velhos até aos últimos; ficaram só Jesus e a mulher, que estava no meio. E, endireitando-se Jesus e não vendo ninguém mais do que a mulher, disse-lhe: Mulher, onde estão aqueles teus acusadores? Ninguém te condenou?

E ela disse: Ninguém, Senhor.

E disse-lhe Jesus: Nem eu também te condeno; vai-te e não peques mais.

JOÃO 8.1-11

"Nem eu também te condeno..."

João 8.11

REBECCA THOMPSON CAIU duas vezes da ponte sobre o vale Fremont. Ela morreu ambas as vezes. A primeira queda partiu seu coração; a segunda, seu pescoço.

Rebecca tinha apenas 18 anos de idade, quando ela e sua irmã Amy, de 11 anos, foram raptadas por dois bandidos perto de uma loja na cidade de Casper, no Estado norte-americano do Wyoming. Eles as conduziram à força cerca de 60 quilômetros ao sudoeste, rumo à ponte que ficava sobre o vale Fremont — uma estrutura metálica de apenas uma pista, que se eleva a quase 36 metros acima do rio North Platte.

Os homens espancaram e violentaram Rebecca. De alguma forma, ela os convenceu a não fazerem o mesmo com a sua irmã. As duas foram jogadas da ponte em direção àquele desfiladeiro. Amy morreu ao chocar-se em uma rocha perto do rio; Rebecca, porém, ao ser empurrada, bateu em uma das bordas da ponte e foi lançada em águas mais profundas.

Com a bacia fraturada em cinco lugares, ela se esforçou muito até conseguir chegar à margem do rio. Para proteger seu corpo do frio, abrigou-se entre duas rochas e esperou o amanhecer.

Entretanto, o amanhecer nunca chegou para Rebecca. O sol aos poucos ia nascendo e ela, então, foi encontrada. Os médicos trataram suas feridas e os tribunais conseguiram punir seus agressores, prendendo-os. A vida continuou, mas o amanhecer nunca chegou.

A escuridão de sua noite de horror perdurou. Ela jamais foi capaz de sair daquele vale. Desse modo, em setembro de 1992, após dezenove anos, Rebecca retornou àquela ponte.

Apesar das súplicas de seu namorado, ela dirigiu a aproximadamente 110 km/h até o rio North Platte. Com seu namorado e sua filha de dois anos ao lado, sentou-se à beira da ponte sobre o vale Fremont e chorou. Em meio às lágrimas, ela recontou toda a história. Seu namorado não queria que a criança visse sua mãe chorar; assim, a levou para o carro.

Foi durante esse curto espaço de tempo que ele ouviu um ruído; era o corpo da namorada batendo na água.

Nesse momento, Rebecca Thompson sofreu sua segunda morte. O sol nunca nasceu na noite escura da vida de Rebecca. Por quê? O que estava eclipsando a luz de seu mundo?

Medo? Talvez. Ela testemunhara contra os homens no tribunal, apontando-os como os culpados. Um dos assassinos, com um sorriso malicioso, caçoou dela, passando seus dedos pela garganta, como se a estivesse cortando. No dia de sua morte, os homens foram postos em liberdade condicional. Talvez o medo de um segundo encontro fosse grande demais.

Seria ódio? Ódio contra os estupradores? Ódio contra aqueles que os colocaram em liberdade condicional? Ou ódio para consigo mesma? Ódio contra as milhares de quedas nos milhares de pesadelos que se seguiram? Ódio para com Deus, por um vale que ficou ainda mais profundo, por uma noite que ficou ainda mais escura e uma manhã que nunca chegou?

Seria culpa? Alguns acham que sim. Apesar do sorriso atraente e da personalidade agradável de Rebecca, os amigos diziam que ela tinha dificuldades com o fato de ter sobrevivido e de sua irmã mais nova ter morrido.

Seria vergonha? Todas as pessoas que ela conhecia e milhares de outras desconhecidas ouviram os detalhes humilhantes de sua tragédia. O estigma estava tatuado profundamente com as tintas do jornal que escreveu cada uma das notícias. Ela fora raptada, violentada e envergonhada. E, como pôde, ela se esforçou para continuar a viver e superar as lembranças... mas nunca conseguiu.

Assim, dezenove anos depois, ela voltou àquela ponte.

Os vales da vergonha são profundos. Desfiladeiros de culpa infindável. Paredes ornamentadas com os tons cinza e verde da morte. Ecos de gritos intermináveis. Coloque suas mãos sobre seus ouvidos. Jogue água na face. Pare de olhar por sobre seu ombro. Tente esquecer as tragédias de ontem — seus tentáculos são mais compridos do que a esperança que você tem. Eles podem levá-lo de volta à ponte da tristeza para ser envergonhado muitas e muitas vezes.

Se fosse sua culpa, seria diferente. Se você fosse o responsável, poderia pedir desculpas. Se a tragédia ocorrida na ponte tivesse sido provocada por um erro seu, poderia responder por seus atos. Mas você não foi até lá voluntariamente. Você foi a vítima.

Há momentos em que sua vergonha é particular. Você é levado ao extremo por um cônjuge que pratica abuso contra você. É molestado por um pai pervertido. É seduzido por um superior aproveitador. Ninguém sabe disso, mas você sabe, e isso é o suficiente.

Em outros momentos, tudo se torna público. Pode ser um divórcio não desejado. O acometimento de uma doença não esperada. Uma deficiência física que não foi você quem provocou. Quer a vergonha esteja realmente diante dos seus olhos ou simplesmente na sua imaginação, você precisa lidar com ela. Você está marcado: um divorciado, um inválido, um órfão, um portador do vírus da AIDS.

Seja em público ou em particular, a vergonha é sempre dolorosa e permanecerá, caso você não saiba lidar com ela. Se não buscar ajuda, o amanhecer nunca chegará.

Você não vai ficar surpreso se eu disser que existem Rebeccas Thompson em todas as cidades, e que em todo lugar existem pontes sobre o vale Fremont. Também existem muitas Rebeccas na Bíblia. Na verdade, existem tantas que parece que as páginas das Escrituras são costuradas com suas histórias. Você já encontrou muitas delas neste Livro. Todas estão muito acostumadas com o duro chão do vale da vergonha.

No entanto, existe uma mulher cuja história engloba todas elas. Uma história de fracasso. Uma história de abuso. Uma história de vergonha.

Mas também é uma história de graça.

Ali está ela, a mulher em pé no centro do círculo. Os homens que a cercam são líderes religiosos. São chamados de fariseus. Eles mesmos se nomearam como guardiães dos bons costumes. Também existe um outro homem, um que está vestido com roupas simples, sentado no chão, olhando para o rosto da mulher. É Jesus.

Jesus estivera ensinando.

A mulher estivera enganando.

E os fariseus estavam ali para dar fim a ambos.

"Mestre, esta mulher foi apanhada, no próprio ato, adulterando" (Jo 8.4). A acusação ressoa para fora dos tribunais.

"Foi apanhada... adulterando". Só as palavras em si já são capazes de fazer você corar. As portas foram escancaradas. As cobertas foram arrancadas.

"No próprio ato". Ali, abraçada. No exato momento.

"Apanhada". Ahá! O que temos aqui? Este homem não é seu marido. Coloque suas roupas! Nós sabemos o que fazer com mulheres como você!

Num instante ela foi arrancada da paixão privada para o espetáculo público. As cabeças apareciam em todas as janelas enquanto tais homens a arrastavam pelas ruas. Os cachorros latiam. A cidade inteira estava olhando. Agarrando um fino véu sobre seus ombros, ela esconde sua nudez.

Mas nada pode esconder sua vergonha.

A partir daquele momento, ela seria conhecida como a mulher adúltera. Quando fosse ao mercado, as mulheres comentariam. Quando passasse pela rua, as cabeças se voltariam para o outro lado. Quando seu nome fosse mencionado, as pessoas se lembrariam.

Os fracassos morais são facilmente lembrados.

Contudo, o que é mais ridículo passa despercebido. O que a mulher fez é vergonhoso, porém o que os fariseus fizeram foi desprezível. De acordo com a Lei, o adultério era punido com a morte, mas apenas se duas pessoas tivessem testemunhado o fato. Era preciso haver duas testemunhas oculares.

Pergunto: Qual a probabilidade de duas pessoas serem testemunhas oculares de um adultério? Quais são as chances de duas pessoas, de manhã cedo, encontrarem subitamente um homem e uma mulher em abraços proibidos? É improvável. Todavia, se isso acontecer, há muita chance de não ter sido uma simples coincidência.

Assim, somos levados a pensar. Por quanto tempo aqueles homens ficaram olhando pela janela antes de entrarem no local? Por quanto tempo eles ficaram espreitando por trás das cortinas até que se revelassem?

E quanto ao homem? O adultério exige a participação de duas pessoas. O que aconteceu com ele? Será que fugiu?

As evidências deixam poucas dúvidas. Era uma armadilha. Ela fora pega. Mas logo descobriria que ela não era a presa — era apenas a isca.

"Na lei, nos mandou Moisés que as tais [mulheres] sejam apedrejadas. Tu, pois, que dizes?" (v. 5)

Como eram convencidos os membros daquele nobre comitê de ética. Muito orgulhosos de si mesmos, esses agentes da retidão. Este será um momento do qual eles se lembrarão por muito tempo: a manhã em que pegaram e derrotaram o poderoso Nazareno.

E quanto à mulher? Bem, ela era secundária. Era simplesmente um peão no jogo. Seu futuro? Isso não era importante. Sua reputação? Quem se importa se for arruinada? Para eles, ela era uma parte necessária de seu plano, mas totalmente descartável.

A mulher olha para o chão. Seus cabelos suados caem sobre os ombros. Suas lágrimas escorrem diante de tamanho sofrimento. Seus lábios estão apertados e sua boca, cerrada. Ela sabe que foi apanhada. Não adianta buscar ajuda. Nunca receberá nenhuma misericórdia. Ela olha para as pedras nas mãos dos homens. Eles apertam com tanta força que seus dedos estão esbranquiçados.

Então, pensa em correr. Mas para onde? Poderia alegar maus-tratos. No entanto, para quem? Poderia negar o fato, mas fora vista. Poderia clamar por misericórdia, mas aqueles homens não estavam dispostos a lhe oferecer tal piedade.

A mulher não tinha para onde ir.

Você poderia esperar que Jesus se levantasse e proferisse um julgamento contra aqueles hipócritas. Todavia, Ele não fez isso. Poderia até esperar que Ele tomasse a mulher e os dois se teletransportassem para a Galiléia. Mas não foi isso o que aconteceu. Você também poderia imaginar que um anjo desceria do céu e falaria alguma coisa ou que a terra tremeria. Não, não foi nada disso.

Mais uma vez, o movimento de Jesus é sutil.

Porém, uma vez mais, sua mensagem é clara.

O que Jesus faz? (Se você já sabe a resposta, finja que não sabe e se surpreenda!)

Ele escreve na areia.

Ele se curva e começa a desenhar na terra. Os mesmos dedos que gravaram os mandamentos do Sinai e escreveram o aviso na parede da sala de banquete de Belsazar, agora rabiscam o chão. Enquanto escreve, Ele fala: "Aquele que dentre vós está sem pecado seja o primeiro que atire pedra contra ela" (v. 7).

Os jovens olharam para os velhos. Os velhos olharam para dentro de seus corações. Eles são os primeiros a deixar as pedras caírem ao chão. Conforme se viram para ir embora, os jovens, tomados do mesmo sentimento, fazem a mesma coisa. O único som que se houve é o da batida das pedras no chão e o dos passos daqueles que estão se retirando.

Jesus e a mulher são deixados sozinhos. Sem o júri, a sala do tribunal se transforma no gabinete do juiz e a mulher espera seu veredicto. *É certo que Ele está preparando um sermão. Sem dúvida vai querer que eu peça desculpas.* Mas o Juiz não fala. Sua cabeça está baixa; talvez ainda esteja escrevendo alguma coisa na areia. Ele parece surpreso quando percebe que a mulher ainda está ali.

— Mulher, onde estão aqueles teus acusadores? Ninguém te condenou?

— Ninguém, Senhor.

Então, disse-lhe Jesus:

— Nem eu também te condeno; vai-te e não peques mais (vv. 10,11).

Se você já se maravilhou com o modo como Deus reage quando você fracassa, coloque essas palavras num quadro e pendure-o na parede. Leia este quadro. Pondere sobre ele. Beba dele. Coloque-se diante dele e deixe que sua mensagem lave a sua alma.

Ou, melhor ainda, leve-o consigo para o seu vale da vergonha. Convide Cristo a fazer uma jornada de volta à ponte do vale Fremont do seu mundo. Permita que Ele se coloque ao seu lado, enquanto você torna a contar todos os eventos das noites mais escuras de sua alma.

Depois disso, ouça. Ouça atenciosamente. Ele está falando.

"Eu não julgo a sua culpa".

Depois, assista. Assista com atenção. Ele está escrevendo. Está deixando uma mensagem. Não na areia, mas numa cruz.

Não com sua mão, mas com seu sangue.

Sua mensagem é composta por uma única declaração: inocente.

3

Não Perca a Festa

A Prisão da Amargura

E o seu filho mais velho estava no campo; e, quando veio e chegou perto de casa, ouviu a música e as danças. E, chamando um dos servos, perguntou-lhe que era aquilo. E ele lhe disse: Veio teu irmão; e teu pai matou o bezerro cevado, porque o recebeu são e salvo. Mas ele se indignou e não queria entrar. E, saindo o pai, instava com ele. Mas, respondendo ele, disse ao pai: Eis que te sirvo há tantos anos, sem nunca transgredir o teu mandamento, e nunca me deste um cabrito para alegrar-me com os meus amigos. Vindo, porém, este teu filho, que desperdiçou a tua fazenda com as meretrizes, mataste-lhe o bezerro cevado. E ele lhe disse: Filho, tu sempre estás comigo, e todas as minhas coisas são tuas. Mas era justo alegrarmo-nos e regozijarmo-nos, porque este teu irmão estava morto e reviveu; tinha-se perdido e foi achado.

LUCAS 15.25-32

"Mas [o filho mais velho] se indignou e não queria entrar."

LUCAS 15.28

O CASO DO IRMÃO mais velho.

É uma situação difícil, pois ele parecia ser tão bom. Seu quarto estava sempre arrumado e seu nariz, sempre limpo. Era honesto e cumpria todas as suas tarefas. Seu currículo? Impecável. Sua reputação? Totalmente limpa. E quanto à lealdade? Enquanto seu irmão caía nas extravagâncias da mocidade, ele ficou em casa e se entregou ao trabalho.

Por fora, ele era tudo o que um pai poderia desejar de um filho. Porém, por dentro, estava amargurado e deprimido. Foi vencido pelo ciúme. Consumido pela ira. Cegado pela amargura.

Você se lembra da história. Esta talvez seja a mais conhecida de todas as parábolas de Jesus. É a terceira das três histórias presentes no capítulo 15 do Evangelho de Lucas; três histórias sobre três festas.

A primeira começou depois que um pastor encontrou uma ovelha que havia perdido. Ele tinha outras 99. Poderia ter ficado contente por simplesmente ter perdido apenas uma. No entanto, os pastores não pensam como os homens de negócios. Desse modo, ele saiu para procurá-la. Quando encontrou a ovelha, carregou-a de volta ao rebanho, cortou a melhor grama para alimentá-la e deu uma festa para comemorar.

A segunda festa ocorreu em uma outra residência. Uma dona de casa perdera uma moeda. Não era a sua única moeda, mas você até poderia pensar que sim, pela maneira como ela reagiu. Ela arrastou os móveis, tirou a poeira e varreu a casa inteira para ver se a encontrava. Quando achou a moeda, foi até a rua e chamou suas vizinhas para comemorarem juntas.

Bem..., chegamos à história do filho perdido. O rapaz que partiu o coração de seu pai ao pegar a sua parte da herança e sair de casa. Ele troca sua dignidade por uma garrafa de uísque, e seu respeito próprio por uma pocilga. De repente, a tristeza faz o mundo daquele rapaz desmoronar e ele, então, decide voltar para casa. Ele espera que seu pai lhe dê um emprego na fazenda e um quartinho nos fundos da casa. O que ele encontra é um pai que manteve à mesa o lugar do filho ausente e deixou a luz da varanda acesa todas as noites.

O pai está tão feliz por ver seu filho que você nem imagina o que ele fez. É isso mesmo! Ele dá uma festa! Nós, os filhos pródigos de hoje, gostamos muito de tal atitude, mas este ato também enfureceu o irmão mais velho.

"Ele se indignou" (v. 28). Não é difícil entender por quê. "Então é assim que uma pessoa é reconhecida nesta família? Ele fica bêbado, vai à falência e você dá uma festa?" Desse modo, ele fica do lado de fora da casa e faz beicinho.

Eu fiz isso uma vez. Fiz beicinho numa festa. Foi numa festa de Natal. Eu estava na 4ª série. As crianças nesta idade levam as festas muito a sério, especialmente quando há presentes envolvidos. Era uma festa de amigo-oculto e, por isso, você precisava deixar claro para todos aquilo que você queria ganhar. Eu não perdi nenhuma oportunidade. Eu desejava ganhar o "Sexto Dedo". Era uma pistola de brinquedo que se encaixava na palma da mão e parecia com um sexto dedo. (Acredite, existia um brinquedo assim!)

Finalmente chegou o dia de trocarmos os presentes. Eu sabia que ia ganhar a minha pistola. Todos os meus colegas de classe tinham escutado as minhas dicas. Arranquei a fita do embrulho, rasguei todo o papel e... sabe o que era? Artigos de papelaria. Papéis e envelopes com cavalos desenhados nos cantos. Bah! Aquilo provavelmente tinha sobrado do Natal anterior. Meninos de 10 anos não escrevem cartas! O que aquela pessoa estava pensando? Estava na cara que alguma mãe esquecera de comprar o presente e, naquela manhã, foi até o armário procurar alguma coisa, e deu de cara com esse material de escritório.

Seria melhor se tivessem amarrado minhas mãos e meus pés, e me atirado no rio. Eu estava muito chateado. Estava irritado. Estava tão bravo que perdi a festa. Estava lá, mas fiz beicinho.

O irmão mais velho fez a mesma coisa. Ele também achou que era uma vítima da injustiça. Quando seu pai saiu para falar com ele, o filho começou a ler de alto a baixo a lista de atrocidades que sofreu em toda sua vida. As desgraças começaram no dia em que ele nasceu.

"Eis que te sirvo há tantos anos, sem nunca transgredir o teu mandamento, e nunca me deste um cabrito para alegrar-me com os meus amigos. Vindo, porém, este teu filho, que desperdiçou a tua fazenda com as meretrizes, mataste-lhe o bezerro cevado" (vv. 29,30).

Parece que os dois filhos passaram um tempo na pocilga. Um deles, no chiqueiro da rebelião e o outro no da autocomiseração. O mais novo voltou para casa. O mais velho não. Ele ainda estava no meio da lavagem. Ele está dizendo a mesma coisa que você disse quando o seu vizinho ganhou uma bicicleta e você não. Isto não é justo!

Foi isso o que disse Wanda Holloway, da cidade de Channelview, no Texas. Quando parecia que sua filha de 14 anos não seria eleita chefe de torcida de sua escola, Wanda ficou muito brava. Ela decidiu ir à forra. Contratou um homem para matar a mãe da principal oponente de sua filha, na esperança de que entristeceria tanto a garota, que a sua filha seria incluída na equipe. A amargura pode fazer isso com você. Pode fazer com que você queime sua casa inteira para matar um rato.

Felizmente, seu plano fracassou e Wanda Holloway foi pega, e recebeu a sentença de 15 anos de prisão. Contudo, ela não precisava ser colocada atrás das grades para ser presa. A amargura era a sua própria prisão.

A verdade é que a amargura nega qualquer saída fácil. As bordas ficam escorregadias em virtude do ressentimento. Um lamaçal de ira faz com que os pés não se movam. O mau cheiro da traição enche o ar e irrita seus olhos. Uma nuvem de autocomiseração impede que se tenha visão da pequena saída que está acima de você.

Veja os prisioneiros. Vítimas estão acorrentadas às paredes. Vítimas de traição. Vítimas de abuso. Vítimas do governo, do sistema, dos militares, do mundo. Eles erguem suas correntes como erguem suas vozes e lamentam. Lamentam por um longo tempo, em alto e bom tom.

Eles murmuram. Estão irados com os outros que conseguem aquilo que eles não conseguiram.

Estão de mau humor. O mundo está contra eles.

Eles acusam. Eles usam fotografias de seus inimigos como alvo para lançar dardos.

Eles se vangloriam. "Fiz tudo de acordo com as regras. Joguei de maneira justa... na verdade, melhor do que qualquer outra pessoa".

Eles lamentam. "Ninguém me escuta. Ninguém se lembra de mim. Ninguém se importa comigo".

Irado. Emburrado. Acusador. Arrogante. Queixoso. Se você colocar tudo isso junto em apenas uma única palavra, terá o seguinte vocábulo: a-m-a-r-g-u-r-a. Se você colocar tudo isso junto numa única pessoa, pode dizer que tal pessoa está no fundo do poço — na prisão da amargura.

A prisão, profunda e escura, está lhe convidando para entrar.

Você sabe que pode. Você já sofreu o suficiente. Foi traído muitas vezes. Tem um histórico de rejeição, não tem? Já foi deixado de lado, para trás, no frio? Você é um candidato a entrar naquela prisão.

Como muitas pessoas fazem, você pode optar por se acorrentar ao seu sofrimento.

Ou, como alguns, você pode optar por abandonar o seu sofrimento antes que ele se transforme em ódio. Pode optar por ir à festa. Existe um lugar para você lá. Seu nome está ao lado de um prato. Se você é um filho de Deus, ninguém pode tirar de você esta filiação.

Foi exatamente isso que o pai disse ao filho mais velho. "Filho, tu sempre estás comigo, e todas as minhas coisas são tuas" (v. 31).

É exatamente isso o que o Pai diz a você. De que maneira Deus lida com o seu coração amargurado? Ele faz com que você se lembre que aquilo que você tem é mais importante do que aquilo que não tem. Você ainda tem o seu relacionamento com Deus. Ninguém pode tirar isso de você. Ninguém pode nem mesmo tocar nisso.

Sua saúde pode lhe ser tirada e o seu dinheiro, roubado; mas o seu lugar à mesa de Deus é permanente.

O irmão estava amargurado porque se concentrara naquilo que ele não tinha, e esqueceu-se daquilo que tinha. Seu pai o fez lembrar — e a nós também — de que ele tinha tudo o que sempre teve.

Tinha o seu trabalho. Seu lugar. Seu nome. Sua herança. A única coisa que não tinha eram os holofotes. Como ele não estava disposto a compartilhar isso, o filho mais velho perdeu a festa.

É preciso ter coragem para deixar o ciúme de lado e se alegrar com os feitos de um rival. Quer um exemplo de alguém que fez isso?

Em pé, diante de dez mil olhos, está Abraham Lincoln. Um Abraham Lincoln desconfortável. Seu desconforto não é causado pela idéia de fazer seu discurso de posse, mas pelos esforços ambiciosos de alfaiates bem-intencionados. Ele não está acostumado a usar tal vestimenta — uma casaca preta bastante formal, colete de seda, calças pretas e uma lustrosa cartola. Ele segura uma enorme bengala de ébano com um cabo dourado do tamanho de um ovo.

Ele se aproxima da plataforma com a cartola numa das mãos e a bengala na outra. Não sabe o que fazer com nenhuma das duas. Durante o nervoso silêncio que se sucede após o aplauso e antes do discurso, ele procura um lugar para colocar aqueles objetos. Finalmente, Abraham Lincoln apóia a bengala no canto do parapeito, porém ainda não sabe o que fazer com a cartola. Poderia deixá-la no pódio, mas aquilo ocuparia muito espaço. Talvez no chão... não, está muito sujo.

Somente após esses longos momentos é que um homem se dirige a ele e pega a cartola, voltando ao seu assento e ouvindo atentamente o discurso de Lincoln.

Quem é ele? O melhor amigo de Lincoln. O presidente disse o seguinte sobre ele: "Nós somos os melhores amigos do mundo".

Ele foi um dos mais poderosos auxiliares nos primeiros anos de Lincoln na presidência dos Estados Unidos. Recebeu a honra de acompanhar a Sra. Lincoln na festa de posse do novo presidente. Quando a tempestade da guerra civil começou a crescer, muitos dos amigos de Lincoln partiram, mas ele não. Ele confirmou sua lealdade ao viajar pelo sul dos Estados Unidos como o embaixador da paz do presidente Lincoln. Implorou aos sulistas que não se separassem e aos nortistas que apoiassem o presidente.

Seus esforços foram grandes, todavia, a onda de ódio foi ainda maior. O país realmente se dividiu e a guerra civil banhou a nação de sangue. O amigo de Lincoln não viveu para ver isso. Morreu três meses depois da posse de Lincoln. Consumido pelas viagens, ele sucumbiu diante de uma febre e o presidente precisou enfrentar a guerra sozinho.

Ao ouvir as notícias sobre a morte de seu amigo, Lincoln chorou abertamente e ordenou que a bandeira da Casa Branca fosse hasteada a meio mastro. Alguns acham que o amigo de Lincoln poderia ter sido escolhido como seu companheiro de chapa em 1864, e que, assim, teria se tornado presidente logo após o assassinato do grande libertador.

Ninguém jamais saberá se isto realmente aconteceria. Entretanto, o que de fato sabemos é que Lincoln tinha um amigo verdadeiro. Também só podemos imaginar o número de vezes que a lembrança daquele amigo trouxe o calor a um frio Salão Oval. Ele foi um modelo de amizade.

Também foi um modelo de perdão.

Seria muito fácil para este amigo ter-se tornado também um inimigo. Muito antes de ele e Lincoln serem aliados, eles foram oponentes, na condição de políticos que buscavam o mesmo cargo. Infelizmente, seus debates são mais conhecidos do que sua amizade. Os debates entre Abraham Lincoln e seu grande amigo Stephen A. Douglas.

Porém, no melhor dia da vida de Lincoln, Douglas deixou de lado suas diferenças e segurou a cartola do presidente. Ao contrário do irmão mais velho, Douglas atendeu a um chamado mais elevado. E, ao contrário do irmão mais velho, ele estava presente na festa.

Seremos sábios se agirmos do mesmo modo. Sábios são aqueles que estão acima de suas feridas. Se fizermos isso, estaremos presentes na celebração final de nosso Pai. Uma festa superior a qualquer outra já oferecida. Uma festa onde não se permitirá a entrada de murmuradores.

Por que você não vem e aproveita a festa?

4

Quando Você não se Entende bem com seus Parentes

Lidando com Parentes Difíceis

"Porquanto qualquer que fizer a vontade de Deus,
esse é meu irmão, e minha irmã, e minha mãe."

MARCOS 3.35

USANDO APENAS UMA PALAVRA, você pode descrever um parente seu que realmente perturbe a sua vida?

Eu estava fazendo essa pergunta a meia dúzia de amigos que se encontravam sentados ao redor de uma mesa de jantar. Todos eles me olharam como se eu tivesse feito uma pergunta das mais descabidas. Então, expliquei.

— Estou sempre me encontrando com pessoas que não conseguem lidar com algum membro de sua família. Sua sogra é uma bruxa, seu tio é um vagabundo, ou a pessoa tem um pai que o trata como se nunca tivesse nascido.

Agora as cabeças balançavam afirmativamente. Nós estávamos nos entendendo. E as palavras começaram a surgir.

— Eu tenho uma descrição — disse um voluntário. — Um parasita no meu pescoço. Minha esposa tem um irmão que nunca trabalha e está sempre esperando que nós o sustentemos.

— Um cacto usando uma camisa de seda — disse outro. — É a minha mãe. Ela parece agradável. Todos pensam que ela é a maior, mas aproxime-se dela e você perceberá como é espinhosa, seca e... sedenta de vida.

— Uma coluna de mármore — foi a maneira como outra pessoa descreveu uma tia. Digna, nobre, mas também alta e dura.

— O boneco de piche na vida do coelho — disse outro.

Todos entenderam a referência, menos eu. Eu não me lembrava da história do coelho. Pedi a alguém que contasse uma versão resumida, e meu amigo, apreciador de fábulas, começou:

A raposa decidiu pregar uma peça no coelho. Então, fez um boneco de piche e o colocou à beira da estrada. Quando o coelho viu aquele boneco, pensou que era uma pessoa e parou para conversar.

Foi uma conversa parcial. O silêncio do boneco de piche começou a perturbá-lo. Ele não conseguia ficar perto de alguém sem se comunicar com aquela pessoa. Então, no meio de sua frustração, ele deu um soco no boneco e ficou grudado nele. Deu mais uma pancada com a outra pata e, adivinhe, a outra pata também ficou presa. É isso o que acontece conosco em relação aos parentes difíceis. Estamos presos a alguém com quem não podemos nos comunicar.

Estar preso é uma expressão correta. Não é como se eles fossem vizinhos, pois você pode simplesmente mudar de casa e se afastar daquela pessoa. Também não é como um empregado que você pode despedir. Eles são família. Você pode escolher seus amigos, mas não pode... bem, você sabe.

É bem provável que saiba disso por experiência própria.

Provavelmente você tem um boneco de piche em sua vida, alguém com quem você não pode conversar e de quem não pode se afastar. É uma mãe que reclama, um tio que faz barulho quando toma sopa, ou uma irmã que se gaba de sua beleza. Um pai que ainda está esperando que você consiga um trabalho de verdade ou uma sogra que fica pensando como é que sua filha pôde se casar com você.

Relacionamentos com bonecos de piche — juntos, mas separados.

É como um elevador lotado. As pessoas se espremem por acaso durante uma curta jornada, falando o menos possível. A única diferença é que você vai terminar saindo do elevador e nunca verá aquelas pessoas novamente — o que não acontece com um parente problemático. Reuniões de família, Natal, aniversários, casamentos, funerais — todos eles estarão lá.

E você estará lá também, tentando fazer uma opção entre várias perguntas difíceis. Por que a vida é tão complicada com os parentes? Se esperamos que alguém seja sensível às nossas necessidades, essas pessoas são os membros de nossa família. Quando temos dificuldades físicas, queremos nossa família ao nosso lado. Quando passamos por problemas emocionais, queremos que a nossa família saiba o que está acontecendo.

No entanto, há momentos em que eles agem como se não quisessem saber o que está acontecendo. Há horas em que eles agem como se não se importassem conosco.

Em seu livro *Irregular People* (Pessoas Desiguais), Joyce Landorf fala de uma mulher que tinha 30 anos e descobriu que precisava fazer uma mastectomia. Ela e sua mãe raramente se falavam, de modo que a filha ficou apreensiva sobre como falar com a mãe. Um dia, durante o almoço, ela decidiu contar as notícias.

— Mãe, acabei de descobrir que preciso fazer uma mastectomia.

A mãe ficou em silêncio. A filha perguntou se ela tinha ouvido. A mãe disse que sim, e calmamente mudou de assunto dizendo:

— Você sabia que sua irmã descobriu uma ótima receita de panqueca de frango?

O que fazer quando aqueles que são mais próximos de você fazem questão de manter a distância? O que fazer quando você se entende bem com outras pessoas, mas não consegue se relacionar com seus parentes?

Será que Jesus tem alguma coisa a dizer sobre como lidar com parentes problemáticos? Existe algum exemplo de Jesus que possa trazer paz a uma família ferida? Sim, existe.

O seu próprio exemplo.

Você pode se surpreender com o fato de que Jesus teve uma família difícil. Talvez você não saiba que Jesus tinha irmãos e irmãs. Ele realmente tinha. Citando os críticos da cidade natal de Jesus, Marcos escreveu: "Não é este [Jesus] o carpinteiro, filho de Maria e irmão de Tiago, e de José, e de Judas, e de Simão? E não estão aqui conosco suas irmãs?" (Mc 6.3)

Para você ficar realmente surpreso, só falta dizer que essa família não era perfeita. Realmente não era. Se a sua família não gosta de você, não desanime, pois aconteceu o mesmo com a família de Jesus. "Não há profeta sem honra, senão na sua terra, entre os seus parentes e na sua casa" (Mc 6.4).

Fico pensando o que Jesus quis dizer quando disse as quatro últimas palavras deste versículo. Ele ia à sinagoga, onde as pessoas lhe pediam para falar. O povo daquela cidade estava orgulhoso pelo fato de aquele rapaz ter tanto sucesso — até que Ele se referisse a si mesmo como sendo o Messias, aquEle que viera para cumprir as profecias.

Como foi sua reação? "Esse não é o filho de José?" Tradução: Esse não é o Messias! Ele é como nós! É o filho do encanador que mora no fim da rua. É o contador do terceiro andar. É o operário que namorou a minha irmã. Deus não fala por meio de pessoas familiares.

Num momento, Ele era um herói; em outro, um herege. Veja o que aconteceu depois. "E, levantando-se, o expulsaram da cidade e o levaram até ao cume do monte em que a cidade deles estava edificada, para dali o precipitarem. Ele, porém, passando pelo meio deles, retirou-se" (Lc 4.29,30).

Que momento horrível! Os amigos da vizinhança tentaram matar a Jesus. Porém, muito mais feio do que aquilo que vemos é o que não vemos. Veja o que está faltando neste versículo. Perceba as palavras que deveriam estar lá, mas não estão: "Eles planejavam jogá-lo do cume do monte, mas os irmãos de Jesus vieram e o defenderam".

Nós gostaríamos de ler isso, mas não podemos, porque o texto não diz isso. Não foi o que aconteceu. Quando Jesus estava em dificuldades, seus irmãos ficaram invisíveis.

Contudo, nem sempre eles foram invisíveis. Houve um tempo em que eles falaram. Houve momentos em que eles foram vistos com Jesus em público. Não porque se orgulhavam dEle, mas, sim, porque se envergonhavam: "... os seus parentes... saíram para o prender, porque diziam: Está fora de si" (Mc 3.21).

Os irmãos de Jesus achavam que Ele era um lunático. Eles não tinham orgulho — estavam envergonhados!

"É o fim da picada, mamãe. Você deveria ouvir o que as pessoas estão dizendo dEle."

"As pessoas dizem que Ele é louco."

"É, e já me perguntaram por que nós não fazemos alguma coisa com Ele."

"Ainda bem que papai não está por aqui para ver o que Jesus anda fazendo."

Palavras dolorosas, faladas por aqueles que estavam mais perto de Jesus.

Veja algumas outras:

> Disseram-lhe, pois, seus irmãos: Sai daqui e vai para a Judéia, para que também os teus discípulos vejam as obras que fazes. Porque não há ninguém que procure ser conhecido que faça coisa alguma em oculto. Se fazes essas coisas, manifesta-te ao mundo. Porque nem mesmo seus irmãos criam nele.
>
> João 7.3-5

Veja só o deboche destas palavras! Elas transbordam de sarcasmo. Como é que Jesus agüentava essas pessoas? Como é que você pode acreditar em si mesmo, quando nem mesmo aqueles que melhor o conhecem acreditam? Como pode seguir adiante, se sua família quer puxar você para trás? O que fazer quando você e sua família têm agendas diferentes?

Jesus nos dá algumas respostas.

É importante perceber que Ele não tentou controlar o comportamento de seus familiares, nem deixou que o comportamento deles controlasse o seu. Ele não exigiu que seus parentes concordassem com Ele. Não ficou amuado quando eles o insultaram. Não tentou fazer com que sua missão fosse agradá-los.

Todos nós temos a ilusão de que nossa família será como a dos Waltons, que nossos melhores amigos serão nossos parentes mais chegados. Jesus não tinha essa expectativa. Veja como Ele definiu sua família: "Porquanto qualquer que fizer a vontade de Deus, esse é meu irmão, e minha irmã, e minha mãe" (Mc 3.35).

Quando os irmãos de Jesus não compartilhavam de suas convicções, Ele não tentava forçá-los. Ele reconheceu que sua família espiritual poderia prover o que a família física não lhe havia dado. Se o próprio Jesus não tomou tal atitude, o que o faz pensar que é capaz de forçar sua família a aceitar você?

Não podemos controlar o modo como nossos familiares nos respondem. Quando a questão é o comportamento dos outros em relação a nós, estamos de mãos atadas. Temos de ir além da inocente expectativa de que, se fizermos coisas boas, as pessoas vão nos tratar corretamente. O fato é que isto pode acontecer ou não, pois não podemos controlar a maneira como as pessoas nos tratam.

Se seu pai é um crápula, você pode ser a melhor filha do mundo e, mesmo assim, ele não vai lhe dizer nada.

Se sua tia não gosta da sua carreira, você poderá mudar de emprego uma dúzia de vezes e ainda assim ela não vai ficar satisfeita.

Se a sua irmã está sempre reclamando sobre o que você conseguiu e o que ela não conseguiu, você pode presenteá-la com tudo e mesmo assim ela não vai mudar.

Se acha que pode controlar o comportamento das pessoas em relação a você, você ficará preso às suas opiniões. Se acha que pode controlar a opinião deles, e esta opinião não for positiva, adivinhe de quem será a culpa? Sua.

É um jogo com regras injustas e resultados fatais. Jesus não jogou este jogo, e você também não deve fazê-lo.

Nós não sabemos se José foi positivo com relação a seu filho e ao seu ministério, mas sabemos que Deus foi: "Este é o meu Filho amado, em quem me comprazo" (Mt 3.17).

Não posso lhe assegurar que sua família sempre lhe dará as bênçãos que tanto busca, mas sei que isso Deus fará. Deixe que Deus dê a você aquilo que a sua família não lhe dá. Se seu pai terrestre não apoiar você, então deixe que o Pai celestial assuma seu lugar.

Como é possível fazer isso? Aceitando emocionalmente Deus como seu pai. Você sabe que uma coisa é aceitá-lo como Senhor e outra é reconhecê-lo como seu Salvador, mas é um assunto completamente diferente aceitá-lo como Pai.

Reconhecê-lo como Senhor é reconhecer que Ele é soberano e supremo em todo o universo. Aceitá-lo como Salvador é aceitar o presente da salvação oferecido na cruz. Considerá-lo como Pai é ir um passo adiante. Numa situação ideal, o pai é aquela figura presente em sua vida que provê e protege. É exatamente isso o que Deus tem feito.

Ele satisfez suas necessidades (Mt 6.25-34). Ele o protegeu do perigo (Sl 139.5). Ele o adotou como filho (Ef 1.5). Ele lhe deu um nome (1 Jo 3.1).

Deus tem se mostrado um pai fiel. Agora, cabe a nós sermos filhos confiantes. Deixe que Deus dê a você aquilo que a sua família não lhe dá. Deixe que Ele preencha os vazios que os outros deixaram. Confie nEle para receber afirmação e encorajamento. Veja as palavras de Paulo: "Assim que já não és mais servo, mas filho; e, se és filho, és também herdeiro de Deus por Cristo" (Gl 4.7).

Ter a aprovação de sua família é uma coisa bastante desejável, porém não é necessária para a felicidade e nem sempre é possível. Jesus não deixou que a complicada dinâmica de sua família obscurecesse o chamado que Ele recebeu de Deus. Por Ele não ter permitido que isso acontecesse, este capítulo tem um final feliz.

O que aconteceu à família de Jesus?

Vamos garimpar juntos uma pepita de ouro oculta nas entrelinhas do livro de Atos dos Apóstolos. "Então, voltaram para Jerusalém... Todos estes perseveravam unanimemente em oração e súplicas, com as mulheres, *e Maria, mãe de Jesus, e com seus irmãos*" (At 1.12,14, ênfase do autor).

Que mudança! Aqueles que zombaram dEle, agora o adoram. Aqueles que sentiram pena dEle, hoje oram a Jesus. E se Cristo os tivesse desprezado? Ou, pior ainda, o que teria acontecido, se tivesse sufocado sua família, exigindo mudança?

Ele não fez isso. Pelo contrário, Ele lhes deu espaço, tempo e graça. E foi exatamente pelo fato de Jesus proceder assim que eles mudaram. E o quanto eles mudaram? Um de seus irmãos tornou-se apóstolo (Gl 1.19) e outros tornaram-se missionários (1 Co 9.5).

Portanto, não desanime, Deus ainda transforma famílias. O boneco de piche de hoje pode se transformar no seu melhor amigo de amanhã.

5

Não Há Problema em Sonhar de novo

Enfrentando o Desânimo

E eis que houvera um grande terremoto, porque um anjo do Senhor, descendo do céu, chegou, removendo a pedra, e sentou-se sobre ela. E o seu aspecto era como um relâmpago, e a sua veste branca como a neve. E os guardas, com medo dele, ficaram muito assombrados e como mortos.

Mas o anjo, respondendo, disse às mulheres: Não tenhais medo; pois eu sei que buscai a Jesus, que foi crucificado. Ele não está aqui, porque já ressuscitou, como tinha dito. Vinde e vede o lugar onde o Senhor jazia. Ide, pois, imediatamente, e dizei aos seus discípulos que já ressuscitou dos mortos. E eis que ele vai adiante de vós para a Galiléia; ali o vereis. Eis que eu vo-lo tenho dito.

E, saindo elas pressurosamente do sepulcro, com temor e grande alegria, correram a anunciá-lo aos seus discípulos. E, indo elas, eis que Jesus lhes sai ao encontro, dizendo: Eu vos saúdo. E elas, chegando, abraçaram os seus pés e o adoraram. Então, Jesus disse-lhes: Não temais; ide dizer a meus irmãos que vão a Galiléia e lá me verão.

MATEUS 28.2-10

"Não tenhais medo; pois eu sei que buscai a Jesus, que foi crucificado. Ele não está aqui, porque já ressuscitou, como tinha dito."

MATEUS 28.5,6

VOCÊ JÁ LEU UMA HISTÓRIA que conhecia e, depois de ler novamente, viu alguma coisa que nunca tinha visto antes?

Sabe aquela coisa de ler um texto cem vezes, e quando você o lê pela 101ª vez, alguma coisa tão nova e marcante se destaca que você fica achando que dormiu nas outras vezes em que leu aquela história?

Talvez seja porque você começa no meio da história, em vez de começar no início. Ou talvez seja porque alguém leu a história em voz alta e fez pausas onde você normalmente não pararia e, então, TÓIM!!! Aquilo acerta você em cheio.

Você pega o livro, olha para ele, certo de que alguém copiou ou leu alguma coisa errada. Mas então, você lê e lá está!

Bem, isto aconteceu comigo, hoje.

Só Deus sabe quantas vezes eu li a história da ressurreição. Pelo menos umas duas dúzias de Páscoas e umas centenas de vezes entre um ano e outro. Já lecionei sobre isso. Já escrevi sobre isso. Já meditei sobre o assunto. Grifei as páginas da minha Bíblia. Mas hoje vi uma coisa que nunca tinha visto antes.

O que foi que eu vi? Antes de lhe contar, deixe-me recontar a história.

É madrugada de domingo e o céu ainda está escuro. Estas são, na verdade, as palavras de João: "... de madrugada, sendo ainda escuro" (Jo 20.1).

Era uma manhã escura de domingo. Estava escuro desde a sexta-feira.

Escuro por causa da negação de Pedro.

Escuro por causa da traição dos discípulos.

Escuro por causa da covardia de Pilatos.

Escuro por causa da angústia de Cristo.

Escuro por causa da diversão de Satanás.

O único vislumbre de luz é o pequeno grupo de mulheres que se coloca à distância da cruz, observando (Mt 27.55).

Entre elas estão duas Marias, uma que é a mãe de Tiago e José, e a outra, Maria Madalena. Por que elas estão ali? Estão lá para gritarem o seu nome. Para serem as últimas vozes que Ele ouviria antes de morrer. Para preparar seu corpo para o sepultamento. Elas estão lá para limpar o sangue de seu rosto. Para tirar a vermelhidão de suas pernas. Para fechar seus olhos. Para tocar sua face.

Elas estão lá. As últimas a deixar o Calvário e as primeiras a chegar ao sepulcro.

Desse modo, bem cedo no domingo, elas deixam suas casas e caminham pela estrada sombreada por árvores. Elas têm uma tarefa lúgubre. O amanhecer promete somente um encontro, o encontro com um corpo.

Lembre-se que Maria e Maria não sabem que esta é a primeira Páscoa. Elas não estão esperando encontrar o túmulo vazio. Não estão discutindo qual será sua reação quando virem a Jesus. Elas simplesmente não têm a menor idéia de que o sepulcro ficou vago.

Houve um tempo em que elas ousaram sonhar este sonho. Agora, não. É tarde demais para o incrível. Os pés que caminharam sobre as águas foram perfurados. As mãos que curaram os leprosos foram pregadas. Nobres aspirações foram cravadas numa cruz na sexta-feira. Maria e Maria foram lá para colocar os olhos aquecidos em um corpo frio e dar o último adeus ao homem que dera razão para que elas tivessem esperanças.

Mas não era a esperança que as levava a subirem aquele morro. Era uma tarefa. Era devoção pura. Essas mulheres não esperavam nada em troca. O que Jesus poderia dar? O que um homem morto poderia oferecer? As duas não estão subindo a montanha para receber, mas estão se dirigindo à tumba para dar. Ponto final.

Não existe motivação mais nobre do que essa.

Há momentos em que nós também somos chamados a amar, sem esperar nada em troca. Às vezes, somos chamados para dar dinheiro às pessoas que nunca nos dirão obrigado, a perdoar aqueles que não vão nos perdoar, a chegar cedo e sair tarde quando ninguém percebe.

Serviço motivado pela responsabilidade. Este é o chamado do discipulado.

Maria e Maria sabiam qual tarefa deveria ser feita: o corpo de Jesus precisava ser preparado para o sepultamento. Pedro não se ofereceu para fazer isso. André também não foi voluntário. As adúlteras perdoadas e os leprosos curados não podem ser vistos por perto. Então, as duas Marias decidem fazê-lo.

Fico pensando se elas não poderiam ter parado no meio do caminho e reconsiderado aquela idéia. E se tivessem olhado uma para a outra e dito com desdém: "Para que tudo isso?" E se tivessem desistido? Jogado os braços para baixo, cheias de frustração e lamento, dizendo "Estou cansada de ser a única que se importa. Deixe que André faça alguma coisa para variar. Que Natanael mostre um pouco de liderança"?

Quer elas tenham sido tentadas a fazer isso, quer não, sou feliz pelo fato de que não tenham desistido. Isso teria sido trágico. Certamente nós sabemos alguma coisa que elas não sabiam naquele momento. Sabemos que o Pai estava assistindo a tudo. Maria e Maria pensavam que estavam sozinhas. Porém não estavam. Achavam que sua jornada era secreta. Mas estavam erradas. Deus sabia. Ele estava vendo as duas mulheres subindo a montanha. Estava medindo seus passos. Estava sorrindo diante do desejo de seus corações e feliz por sua devoção. Ele tinha uma surpresa esperando por elas.

> E eis que houvera um grande terremoto, porque um anjo do Senhor, descendo do céu, chegou, removendo a pedra, e sentou-se sobre ela. E o seu aspecto era como um relâmpago, e a sua veste branca como a neve. E os guardas, com medo dele, ficaram muito assombrados e como mortos.
>
> Mateus 28.2-4

(Agora, leia com atenção. Foi isso o que notei pela primeira vez hoje).

Por que o anjo removeu a pedra? Para quem ele tirou aquela pedra do lugar?

Para Jesus? Foi isso que eu sempre pensei. Sempre achei que o anjo tinha removido a pedra para que Jesus pudesse sair. Mas pense um pouquinho sobre isso. Será que a pedra realmente precisava ser removida para que Jesus saísse? Deus precisava de alguma ajuda naquele momento? Seria o Conquistador da morte tão fraco que não fosse capaz de empurrar uma pedra? ("Ei, alguém aí fora poderia empurrar a pedra para eu sair?")

Acho que não. O texto nos dá a impressão de que Jesus já estava fora do túmulo quando a pedra foi removida! Em nenhum lugar dos evangelhos lemos que o anjo removeu a pedra para Jesus. Para quem, então, a pedra foi removida?

Ouça o que o anjo diz: "Vinde e vede o lugar onde o Senhor jazia" (v. 6).

A pedra foi removida, não para Jesus, mas para as duas mulheres; não para que Jesus pudesse sair, mas para que as mulheres pudessem olhar para dentro!

Maria olha para Maria, e esta tinha no rosto o mesmo sorriso que esboçou quando o pão e o peixe estavam saindo do cesto. A antiga paixão estava de volta. De repente, não havia nenhum problema em sonhar de novo.

"Ide, pois, imediatamente, e dizei aos seus discípulos que já ressuscitou dos mortos. E eis que ele vai adiante de vós para a Galiléia; ali o vereis" (v. 7).

Maria e Maria não precisaram ouvir aquilo outra vez. Elas se viraram e começaram a correr para Jerusalém. A escuridão se fora. O sol estava brilhando. O Filho não estava mais na sepultura. Mas o Filho não havia desaparecido.

Ainda havia outra surpresa esperando por elas.

"E, indo elas, eis que Jesus lhes sai ao encontro, dizendo: Eu vos saúdo. E elas, chegando, abraçaram os seus pés e o adoraram. Então, Jesus disse-lhes: Não temais; ide dizer a meus irmãos que vão a Galiléia e lá me verão" (vv. 9,10).

O Deus das surpresas ataca novamente. É como se tivesse dito: "Não posso mais esperar. Elas vieram de tão longe para me ver; vou me apresentar a elas".

Deus faz isso pelos fiéis. Quando o útero já estava velho demais para gerar bebês, Sara fica grávida. Quando o erro é grande demais para a graça, Davi é perdoado. Quando a estrada está escura demais para Maria e Maria, o anjo brilha e o Salvador se mostra, e as duas mulheres nunca mais serão as mesmas.

A lição? Duas palavras: não desista.

O caminho é escuro? Não se assente.

A estrada é muito longa? Não pare.

A noite é muito escura? Não desista.

Deus está olhando. Mesmo sem você saber, naquele exato momento Deus está dizendo ao anjo para remover a pedra.

O cheque pode estar na caixa de correio.

O perdão pode estar sendo preparado.

O contrato de trabalho pode estar em cima da mesa.

Não desista. Se você fizer isso, pode estar perdendo a resposta às suas orações.

Deus ainda envia anjos. Deus ainda remove pedras.

6

Leite Azedo

Vencendo uma Atitude Ruim

E aconteceu que, indo eles de caminho, entrou numa aldeia; e certa mulher, por nome Marta, o recebeu em sua casa. E tinha esta uma irmã, chamada Maria, a qual, assentando-se também aos pés de Jesus, ouvia a sua palavra. Marta, porém, andava distraída em muitos serviços e, aproximando-se, disse: Senhor, não te importas que minha irmã me deixe servir só? Dize-lhe, pois, que me ajude.

E, respondendo Jesus, disse-lhe: Marta, Marta, estás ansiosa e afadigada com muitas coisas, mas uma só é necessária; e Maria escolheu a boa parte, a qual não lhe será tirada.

LUCAS 10.38-42

"Fazei todas as coisas sem murmurações nem contendas; para que sejais irrepreensíveis e sinceros."

FILIPENSES 2.14,15

EU ADORO LEITE. Preciso confessar que sou um "leitólatra". Um dos dias mais difíceis de minha vida aconteceu quando aprendi que leite integral não era saudável. Com grande relutância, eu me adaptei à versão mais aguada, mas, de vez em quando, ainda me permito o êxtase sagrado de um copo gelado de leite integral e um biscoito de chocolate quente e doce.

Durante os meus anos de apreciação do maravilhoso produto da vaca, aprendi que um alto preço é pago por deixar o leite fora da geladeira (certa vez, cuspi uma boa quantidade de leite estragado em cima do armário da cozinha). Leite doce fica azedo se for mantido quente por muito tempo.

Atitudes doces tornam-se amargas pela mesma razão. Deixe o aborrecimento esquentar sem um período de resfriamento e qual será o resultado? Uma atitude ruim, amarga e azeda.

O décimo capítulo do livro de Lucas descreve um processo passo a passo de como transformar algo doce em uma coisa azeda.

É a história de Marta. Uma alma adorável, dada à hospitalidade e à organização. Mais frugal do que frívolo, mais prático do que pesado, seu lar é um navio organizado e ela é uma capitã severa. Peça-lhe para escolher entre um livro e uma vassoura, e ela escolherá a vassoura.

Maria, porém, escolheria o livro. Maria é irmã de Marta. Os mesmos pais, mas com prioridades diferentes. Marta tinha coisas a fazer. Maria tinha pensamentos para pensar. A louça pode esperar. Deixe que Marta vá ao mercado; Maria vai à biblioteca.

Duas irmãs. Duas personalidades. Enquanto as duas se entendem, são como unha e carne. Mas quando uma se ressente da outra, viram cão e gato.

Digamos que nós sorrateiramente entramos pela porta dos fundos da cozinha de Marta. Vou lhes mostrar o que quero dizer com aquelas expressões que usei acima (um aviso: fique longe do leite; ele está começando a azedar).

Psiu, lá está ela. Está ao lado da mesa. É aquela de avental. Puxa, veja só! Eu disse que essa moça sabe como dirigir uma cozinha. Como é que ela faz isso? Mistura com uma das mãos, quebra os ovos com a outra. E nada espirra para fora da tigela. Ela sabe o que está fazendo.

Deve ter um monte de gente lá. Há muita comida. Ouça as risadas na outra sala. Pelo som, eles devem estar se divertindo.

Porém Marta não está. Uma olhada na careta coberta de farinha vai dizer exatamente isso.

"Irmã estúpida."

O quê? Você a ouviu murmurando alguma coisa?

"É aquela Maria. Aqui estou eu, sozinha na cozinha, enquanto ela está lá fora."

Humm. Parece que o forno não é a única coisa que está quente por aqui.

"Eu não teria convidado Jesus se soubesse que Ele traria todo esse exército com Ele. Esses rapazes comem como cavalos e Pedro está sempre arrotando."

Puxa vida. Ela está zangada. Veja como ela olha por cima dos ombros em direção à porta. Está olhando para Maria. É aquela que está sentada no chão, ouvindo a Jesus.

"Minha doce irmãzinha... sempre pronta para ouvir, mas nunca pronta para trabalhar. Eu não me importaria em sentar-me. Mas tudo o que faço é cozinhar e costurar, costurar e cozinhar. Bom, agora chega!"

Veja só! Lá vai ela. Alguém vai ouvir umas poucas e boas.

"Senhor, não te importas que minha irmã me deixe servir só? Dize-lhe, pois, que me ajude" (v. 40).

De repente, a sala fica em silêncio. É um silêncio mortal, quebrado apenas pelo ruído dos passos de Marta no chão de pedras e o bater de uma colher de madeira na palma de sua mão. Ela olha para todos, de cima para baixo — com farinha nas bochechas e fogo nos olhos.

Só podemos rir diante da expressão na face dos discípulos. Eles olham para ela, com os olhos arregalados diante de tal fúria que nem o inferno conheceu. Pobre Maria. Vermelha de vergonha, suspira e se afunda ainda mais no chão.

Só Jesus fala. Pois só Jesus entende o problema. O problema não é a quantidade de pessoas. O problema não é a opção de Maria por ouvir. O problema não é a escolha de Marta em receber as pessoas. O problema é o coração de Marta, um coração que azedou em virtude da ansiedade.

"Marta, Marta, estás ansiosa e afadigada com muitas coisas" (v. 41). Marta queria fazer tudo certo. Mas seu coração estava errado. Seu coração, disse Jesus, estava ansioso. Como resultado disso, ela deixou de ser uma serva feliz e se transformou num animal de carga. Ela estava ansiosa: ansiosa quanto a cozinhar, ansiosa quanto a agradar, ansiosa quanto a muitas coisas.

Gosto muito do que minha teóloga favorita, Erma Bombeck, tem a dizer sobre a ansiedade:

> Sempre fico muito ansiosa e, para ser sincera, sou boa nisso. Fico ansiosa ao apresentar pessoas e ir de mãos vazias visitar minha mãe. Preocupo-me com o buraco na camada de ozônio, uma cobra entrando pelo ralo da cozinha. Fico preocupada com o fim do mundo à meia-noite, ou em ficar presa por três horas numa cápsula congelada. Fico preocupada se vou entrar no *Guinness*, o livro dos recordes, na seção "Gravidez: a mulher mais velha que já deu à luz". Ficou preocupada com aquilo que o cachorro pensa quando me vê saindo do chuveiro. Fico ansiosa em pensar que um dos meus filhos pode se casar com uma esquimó, que vai me deixar sozinha num iceberg quando eu não puder mais me alimentar sozinha. Fico ansiosa quando as vendedoras me seguem até o provador, quando penso em superfícies escorregadias e imagino Carol Channing ficando careca. Fico ansiosa só de pensar que um desses cientistas pode descobrir que a alface engorda tanto quanto qualquer outra comida gordurosa.

Aparentemente, Marta também estava se preocupando demais. Tanto que ela começou a querer mandar em Deus. A preocupação vai fazer isso com você. Ela faz com que você esqueça de quem está no comando.

O que torna essa história interessante, porém, é que Marta está preocupada com relação a coisas boas. Ela está recebendo Jesus para um jantar. Está literalmente servindo a Deus. Seu objetivo era satisfazer a Jesus. No entanto, ela cometeu um erro comum, ainda que bastante perigoso. Conforme começou a trabalhar para Cristo, seu trabalho tornou-se mais importante que o próprio Senhor. O que começou como uma maneira de servir a Jesus, de maneira sutil e vagarosa transformou-se numa maneira de servir a si mesma.

É possível que o processo tenha se desenvolvido da seguinte maneira: Conforme Marta começou a preparar a refeição, antecipou os elogios que receberia quanto à comida. Ao preparar a mesa, imaginou como seria a aprovação. Ela até podia imaginar. Jesus entraria na casa e agradeceria por todo o trabalho que Marta teve. Pediria aos discípulos que dessem uma salva de palmas em pé. João reservaria um capítulo na Bíblia para citá-la como exemplo de hospitalidade e dedicação.

Então, mulheres de todos os lugares viriam de quilômetros de distância para perguntar-lhe como aprendeu a ser uma serva tão bondosa e humilde. O resto dos seus dias seriam gastos na direção de uma Escola de Serviço — com Jesus como diretor e Marta como professora.

Entretanto, as coisas não saíram da maneira como ela planejou. Ela não obteve a atenção que buscava. Nenhuma salva de palmas. Nenhum elogio. Nenhuma adulação. Nada de escola. Ninguém notou nada. Isso a irritou. Marta tem muita ansiedade e pouca memória. Ela esqueceu-se de que o convite fora idéia dela mesma. Esqueceu que Maria tinha todo o direito de estar com Jesus. E, acima de tudo, esqueceu-se de que a refeição era para honrar a Jesus, e não a Marta.

Sei exatamente como ela se sente. Eu já estive na cozinha de Marta. Ou melhor, já estive no escritório do Max.

Sei como é preparar a mesa para servir a Deus e terminar servindo a si mesmo. Eu trabalhava duro e por um longo tempo em muitos sermões somente para ter meus sentimentos feridos caso eles não fossem elogiados. Eu mergulhava de cabeça no manuscrito somente para viver sonhando com os cumprimentos que receberia após a publicação. Fiz conferências sobre o sofrimento de Cristo e depois fiquei frustrado porque o quarto do hotel não estava disponível.

É fácil esquecer quem é o servo e quem deve ser servido.

Satanás sabe disso. A distorção é uma das ferramentas mais ardilosas de Satanás. Veja só: ele não tirou Marta da cozinha; o que ele tirou dela foi o propósito pelo qual ela estava lá. O adversário não vai fazer com que você se volte contra a igreja; ele vai fazer com que você se volte contra si mesmo dentro da igreja. Ele não vai afastá-lo do seu ministério; ele vai trazer a desilusão para dentro do seu próprio ministério.

Quando o foco está em você mesmo, você faz aquilo que Marta fez: fica preocupado. Fica ansioso com relação a muitas coisas. Você fica preocupado se:

Os seus colegas de trabalho vão gostar do que você está fazendo.

Os seus líderes vão trabalhar mais do que você.

O seu superintendente não compreende você.

Sua congregação não apóia você.

Com o tempo, a sua agenda se torna mais importante do que a agenda de Deus. Você está mais preocupado em apresentar a si mesmo do que em alegrar a Deus. E você pode até mesmo ver-se duvidando do julgamento de Deus.

"Senhor, não te importas que minha irmã me deixe servir só? Dize-lhe, pois, que me ajude" (v. 40).

Você não sabe como Marta se arrependeu de ter dito aquilo! Aposto que, depois de esfriar a cabeça, ela preferiria não ter dito aquelas palavras. Imagino que deve ter desejado prestar atenção ao conselho de Salomão: "Um tolo expande toda a sua ira, mas o sábio a encobre e reprime" (Pv 29.11).

Existe um grande princípio aqui. Para evitar que uma atitude azede, trate-a da mesma maneira como um copo de leite: dê um jeito de esfriá-la.

A vida de Marta era conturbada. Ela precisava de um descanso. "Marta, Marta, estás ansiosa e afadigada com muitas coisas", explicou Jesus. "Uma só é necessária; e Maria escolheu a boa parte" (vv. 41,42).

O que Maria escolheu? Ela optou por sentar-se aos pés de Cristo. Deus se satisfaz mais com a quieta atenção de um servo sincero do que com o serviço barulhento de um servo amargurado.

A propósito, esta história podia facilmente ter acontecido ao contrário. Maria poderia ter sido aquela a ficar nervosa. A irmã sentada no chão poderia se ressentir da outra encostada na pia. Maria poderia ter agarrado o braço de Jesus, levando-o à cozinha e, então, ter dito: "Diga para Marta parar de ser tão produtiva e ser um pouco mais reflexiva. Por que sou sempre eu que tenho que pensar e orar por aqui?"

O que importa mais do que o tipo do serviço é o coração por trás do serviço prestado. Uma atitude ruim estraga o presente que deixamos no altar de Deus.

Talvez você já tenha escutado a piada sobre um irmão que estava orando com uma atitude errada. Veja só.

— Por que — perguntou um deles — meu irmão tem sido abençoado com riqueza e eu não tenho nada? Toda minha vida nunca passei um único dia sem orar, de manhã e à noite. Minha freqüência à igreja é perfeita. Sempre me dei bem com meu próximo e fiz doações generosas. Contudo, agora que estou no fim da minha vida, mal consigo pagar o meu aluguel.

Mas ele não pára por aí:

— Meu irmão, por outro lado, bebe, joga e brinca o tempo todo. Porém tem mais dinheiro do que consegue contar. Não estou pedindo que ele seja punido, mas, Senhor, diga-me: por que ele recebeu tanto e eu não recebi nada?

— Meu filho — disse Deus —, porque você é um fariseu de matar!

Cuidado com a sua atitude.

Deus lhe deu vários talentos. Ele fez o mesmo com o seu próximo. Se você ficar se preocupando com os talentos do seu próximo, vai terminar negligenciando os seus. Mas se você se preocupar com os dons que recebeu, então poderá inspirar os dois.

7

Um Enorme Pressentimento e uma Grande Esperança

Genuínas Atitudes de Fé

E [Jesus] foi com ele, e seguia-o uma grande multidão, que o apertava.

E certa mulher, que havia doze anos tinha um fluxo de sangue, e que havia padecido muito com muitos médicos, e despendido tudo quanto tinha, nada lhe aproveitando isso, antes indo a pior, ouvindo falar de Jesus, veio por detrás, entre a multidão, e tocou na sua vestimenta. Porque dizia: Se tão-somente tocar nas suas vestes, sararei. E logo se lhe secou a fonte do seu sangue, e sentiu no seu corpo estar já curada daquele mal.

E logo Jesus, conhecendo que a virtude de si mesmo saíra, voltou-se para a multidão e disse: Quem tocou nas minhas vestes?

E disseram-lhe os seus discípulos: Vês que a multidão te aperta, e dizes: Quem me tocou?

E ele olhava em redor, para ver a que isso fizera. Então, a mulher, que sabia o que lhe tinha acontecido, temendo e tremendo, aproximou-se, e prostrou-se diante dele, e disse-lhe toda a verdade. E ele lhe disse: Filha, a tua fé te salvou; vai em paz e sê curada deste teu mal.

Marcos 5.24-34

"Filha, a tua fé te salvou."

MARCOS 5.34

GANHAR UM RELÓGIO DE CABECEIRA como presente de Natal não é o tipo de coisa que deixa feliz um menino de 8 anos de idade, mas eu disse obrigado, levei-o para o meu quarto, coloquei-o na mesa-de-cabeceira e em seguida o liguei na tomada.

Era um relógio quadrado da marca Bulova. Não era daqueles relógios digitais. Era um relógio comum, de ponteiros. Ele não tocava fitas ou CDs, porém, com o passar dos anos, desenvolveu um pequeno ruído que podia ser ouvido quando o quarto estava em silêncio.

Hoje você pode comprar relógios que emitem som de chuva quando é hora de dormir e imitam a voz da sua mãe quando é hora de acordar. Entretanto, não era o caso daquele. Seu alarme podia fazer com que os cachorros latissem. Nada de botões de "soneca". Era algo bem tosco. Modelo Neandertal. Se hoje você fizesse uma venda do tipo "família vende tudo", não deveria esperar mais do que 50 centavos por um modelo como aquele nesta época de relógios digitais e alarmes musicais.

Apesar de tudo, com o passar do tempo, fui me apegando a ele. Normalmente as pessoas não ficam apaixonadas por relógios elétricos, mas foi isso o que eu sentia com relação àquele. Não por motivo de sua precisão, pois ele sempre estava um pouco atrasado. Também não era em virtude do ruído, com o qual eu também não me importava. Eu gostava dele por causa da luz.

Aquele relógio brilhava no escuro.

Durante o dia todo, todos os dias, aquele relógio absorvia a luz. Era como se ele fosse uma esponja que sugava a luz do sol. Os ponteiros eram pequenas hastes de tique-taque e luz. Quando chegava a noite, o relógio estava pronto. Quando eu desligava a luz para dormir, o pequeno relógio começava a brilhar. Não era muita luz, mas quando o mundo está escuro, mesmo um pequeno brilho parece muita coisa.

É como a luz que a mulher recebeu quando se encontrou com Jesus.

Não sabemos o seu nome, mas sabemos de sua situação. Seu mundo estava escuro como a meia-noite. Escuro a ponto de somente ser possível andar tateando em busca de ajuda. Leia estes versículos e entenda o que estou querendo dizer:

> E [Jesus] foi com ele, e seguia-o uma grande multidão, que o apertava. E certa mulher, que havia doze anos tinha um fluxo de sangue, e que havia padecido muito com muitos médicos, e despendido tudo quanto tinha, nada lhe aproveitando isso, antes indo a pior.
>
> Marcos 5.24-26

Ela era um caniço rachado: "Havia doze anos tinha um fluxo de sangue", "havia padecido muito", "despendido tudo quanto tinha" e "indo a pior".

Um distúrbio ginecológico crônico. Uma constante hemorragia. Uma condição assim é difícil para uma mulher de qualquer época. Para uma judia, porém, nada poderia ser pior. Nenhuma parte de sua vida fora deixada intacta.

Sexualmente... Não podia tocar seu marido.

Como mãe... Não poderia ter filhos.

Em casa... Qualquer coisa que tocasse era considerada impura. Não podia lavar a louça. Não podia varrer o chão.

Espiritualmente... Não lhe era permitido entrar no templo.

Ela estava fisicamente exausta e socialmente abandonada.

Já havia buscado a ajuda de "muitos médicos" (v. 26). O Talmude não apresenta mais do que onze opções de cura para tal condição. Não há dúvidas de que ela tenha tentado todas elas. Algumas eram tratamentos legítimos. Outras, tal como carregar as cinzas de um ovo de avestruz dentro de um pano de linho, eram pura superstição.

Ela gastou "tudo quanto tinha" (v. 26). Somar tensões financeiras a problemas de saúde é adicionar o insulto à injúria. Um amigo meu que estava lutando contra o câncer contou-me que a perseguição dos credores, exigindo pagamentos pelo tratamento médico que está sendo aplicado, é tão devastador quanto a própria dor que se sente.

"Antes indo a pior" (v. 26). Ela era um caniço rachado. Acordava todos os dias dentro de um corpo que ninguém queria. Ela está prestes a fazer sua última oração. E no dia em que a encontramos, é exatamente o que ela faz.

No momento em que se aproxima de Jesus, ela está cercada por muitas pessoas. Ele está caminhando para ajudar a filha de Jairo, andando ao lado do homem mais importante daquela comunidade. Quais seriam as probabilidades de Jesus interromper uma missão tão urgente junto a um alto oficial para atender gente como ela?

Muito poucas. Mas quais as chances de ela sobreviver se não aproveitar a oportunidade? Menores ainda. Assim, ela se arrisca.

"Se tão-somente tocar nas suas vestes, sararei", pensava ela (v. 28).

Decisão arriscada. Para tocá-lo, ela precisaria tocar as pessoas. Se um deles a reconhecesse... adeus cura, olá repreensão. Mas quais eram as suas opções? Ela não tinha dinheiro, influência, amigos ou soluções. Tudo o que possuía era um enorme pressentimento de que Jesus podia ajudá-la e uma grande esperança de que Ele o faria.

Talvez isso seja tudo o que você tem: um enorme pressentimento e uma grande esperança. Você não tem nada para dar. Porém está sofrendo. E tudo o que você tem a oferecer-lhe é o seu sofrimento.

Talvez isso esteja impedindo que você se aproxime de Deus. Ah, sim, você já deu um ou dois passos na direção dEle. Mas, então, você viu as outras pessoas ao redor. Elas pareciam tão limpas, tão puras, tão arrumadas e saudáveis em sua fé. Quando você as viu, aquela situação bloqueou a visão que tinha dEle. Então, você deu um passo para trás.

Se este quadro descreve você, veja com atenção que apenas uma pessoa foi destacada naquele dia como verdadeira possuidora de fé. Não foi uma pessoa rica e benevolente. Não foi um seguidor leal. Não foi um mestre aclamado. Foi uma pessoa tomada pela vergonha, rechaçada sem piedade, mas que se agarrou ao pressentimento de que Ele poderia e à esperança de que Ele faria.

Isto tudo, aliás, não é uma definição errada de fé: *Uma convicção de que Ele pode e a esperança de que Ele fará*. Parece bastante semelhante à definição de fé dada na Bíblia: "Ora, sem fé é impossível agradar-lhe, porque é necessário que aquele que se aproxima de Deus creia que ele existe e que é galardoador dos que o buscam" (Hb 11.6).

Não é muito complicado, não é? Fé é a crença de que Deus é real e é bom. A fé não é uma experiência mística, uma visão no meio da noite ou uma voz na floresta... É a opção de acreditar que aquEle que fez todas as coisas não o abandonou, mas que ainda brilha em meio às trevas, e reage positivamente diante de atitudes de fé.

É claro que não havia garantia. Ela esperava que Ele respondesse... desejava isso... mas não sabia se o faria. Tudo o que sabia era que Ele estava ali e era bom. Isto é fé.

Fé não é a crença de que Deus vai fazer aquilo que você quer. Fé é a crença de que Deus vai fazer o que é correto.

"Bem-aventurados são os pobres e miseráveis, aqueles que não têm nada para dar, jogados no canto, destituídos, doentes", disse Jesus, "pois deles é o Reino dos céus" (Mt 5.6, minha tradução).

A economia de Deus está de cabeça para baixo (ou a nossa está de cabeça para baixo e a de Deus está na posição correta!). Deus diz que quanto pior for a sua situação calamitosa, maior a possibilidade de sua salvação. Quanto maiores forem as suas necessidades, mais genuínas serão suas orações. Quanto mais escura a sala, maior a necessidade de luz.

Isto nos leva de volta ao meu relógio. Durante o dia, nunca valorizei a capacidade que meu pequeno Bulova tinha de brilhar no escuro. Porém, conforme a escuridão descia, mais crescia a minha gratidão a ele.

Uma mulher sadia jamais valorizaria o poder de um toque na orla das roupas de Jesus. Mas aquela mulher estava doente... e quando seu problema se encontrou com a dedicação dEle, um milagre aconteceu.

A parte dela na cura foi bem pequena. Tudo o que ela fez foi estender seu braço por entre a multidão.

"Se eu puder tocá-lo..."

O mais importante não foi a forma do esforço, mas o fato do esforço. O fato é que ela fez alguma coisa. Ela se recusou a ceder espaço para a doença por mais um dia e decidiu executar um movimento.

A cura começa quando você faz alguma coisa. A cura começa quando nós saímos. A cura começa quando damos um passo.

A ajuda de Deus está próxima e sempre disponível, mas somente é dada àqueles que a procuram. A apatia não gera nada. O grande destaque nesta história é a cura poderosa que aconteceu. Mas a grande verdade é que a cura começou com o toque dela. Com este pequeno e corajoso gesto, ela experimentou o terno poder de Jesus.

Comparada à parte de Deus, a nossa parte é minúscula, porém necessária. Nós não precisamos fazer muita coisa, *mas realmente precisamos fazer algo*.

Escrever uma carta.

Pedir perdão.

Falar com um conselheiro.

Confessar.

Ligar para mamãe.

Ir ao médico.

Ser batizado.

Alimentar uma pessoa faminta.

Orar.

Ensinar.

Ir.

Faça alguma coisa que demonstre fé. A fé sem esforço não é fé. *Deus vai responder*. Ele nunca rejeitou uma atitude genuína de fé. Nunca.

Deus honra a fé radical que se arrisca.

Quando arcas são construídas, vidas são salvas. Quando soldados marcham, Jericó desmorona. Quando exércitos se levantam, mares ainda se abrem. Quando um lanche é compartilhado, milhares são alimentados. Quando uma roupa é tocada — quer seja pela mão de uma mulher anêmica da Galiléia ou pelas orações de um mendigo em Bangladesh — Jesus pára. Ele pára e responde.

Marcos pode falar isso para você. Quando aquela mulher tocou em Cristo, as duas coisas que aconteceram não ocorreram em nenhum outro lugar da Bíblia. Ele registrou os dois atos.

Primeiramente, Jesus curou antes de se dar conta. O poder saiu dEle de forma automática e instantânea. É como se o Pai tivesse provocado um curto-circuito no sistema, e a divindade de Cristo estivesse um passo à frente de sua humanidade.

A necessidade dela provocou a ajuda dEle. Não houve luz néon nem gritos. Não houve festa barulhenta. Não houve fanfarra. Nada de comoção espalhafatosa. Nenhuma exibição ostensiva. Simplesmente a ajuda.

Do mesmo modo que o meu quarto escuro faz com que a luz de meu relógio brilhe, nosso mundo escuro destaca a luz de Deus.

Em segundo lugar, Jesus a chama de *filha*. "Filha, a tua fé te salvou" (v. 34). Esta é a única vez que Jesus chama *qualquer* mulher, *em qualquer lugar*, de filha. Imagine só como isso a fez se sentir! Quem podia se lembrar da última vez que ela recebera alguma palavra de afeição? Quem sabia da última vez que olhos amorosos se encontraram com os olhos dela?

Leon Tolstói, o grande escritor russo, nos fala de uma ocasião em que ele estava caminhando por uma rua e passou diante de um mendigo. Tolstói colocou a mão no bolso para ver se tinha algum dinheiro para dar ao mendigo, mas seu bolso estava vazio. Tolstói se virou para o homem e disse:

— Sinto muito, meu irmão, mas não tenho nada para dar.

O mendigo ficou muito feliz e disse:

— Você me deu muito mais do que eu pedi. Você me chamou de irmão.

Para as pessoas que são amadas, uma palavra de afeição é apenas uma migalha, mas para aquele que está faminto por amor, uma palavra de afeição pode ser um banquete.

Jesus deu um banquete àquela mulher.

A tradição afirma que ela nunca se esqueceu do que Jesus fez. Algumas lendas dizem que ela permaneceu com Jesus e o seguiu enquanto Ele carregava a cruz até o Calvário. Alguns acreditam que era Verônica, a mulher que caminhou ao lado de Jesus durante todo o caminho que o levou até a cruz. Quando o sangue e o suor caíam em seus olhos, ela enxugava sua testa.

Em uma hora de grande necessidade, ela recebeu o seu toque; e Ele, numa hora de grande dor, recebeu o dela. Não sabemos se essa lenda é verdadeira, mas sabemos que poderia ser. Eu não sei se o mesmo aconteceu com você, mas sei que isso pode acontecer.

8

Eternamente Jovem

Como Gostar de Ficar Velho

"Qualquer que procurar salvar a sua vida perdê-la-á, e qualquer que a perder salvá-la-á."

Lucas 17.33

Você não odeia quando alguém o faz lembrar da velhice?

O barbeiro: "João, está ficando um pouco ralo aqui em cima".

A cabeleireira: "Da próxima vez, Maria, vamos fazer alguma coisa com essas raízes brancas".

O convite: "Você está sendo convidado para participar da 30ª reunião dos formandos da faculdade".

Seus filhos: "Pai, fale de novo, quem eram mesmo os Rolling Stones?"

Seu médico: "Não precisa se preocupar, Antônio. Sua condição é comum para as pessoas de meia-idade".

A alvorada da velhice. As primeiras páginas dos capítulos finais. Uma mancha dourada aparece nas folhas verdes de sua vida e você é colocado face a face (que, por sinal, está enrugada) com o fato de que está ficando velho.

Apesar de fazermos brincadeiras ("a velhice é a época em que você crava os dentes num bife... e eles ficam ali"), nem todo mundo ri. Especialmente aqueles que foram ensinados a valorizar a juventude.

Não somos todos assim?

Por várias décadas você se preocupou com tudo, exceto em ficar velho. De todas as coisas nas quais não podia confiar, sempre houve uma em que você podia colocar sua confiança: a sua juventude. Você podia comer como um cavalo e não ter a aparência de um. Todos os professores da escola eram mais velhos que você. Os atletas profissionais tinham praticamente a mesma idade do seu irmão mais velho. A vida era um estrada aberta e a morte estava a um milênio de distância.

Mas, então, elas chegaram. As sutis mensagens da mortalidade:

Você compra sua primeira apólice de seguros e inclui despesas com funeral e sepultamento.

Você sai com os amigos e eles perguntam por que fecha um pouco os olhos para ver as placas na estrada.

O garoto que está carregando suas compras no supermercado chama você de "senhora".

Num primeiro momento, são apenas pequenas gotas espirrando em suas convicções de aquarela de uma juventude perpétua. Com o tempo, porém, as gotas caem de modo constante e cada vez mais forte.

Tudo dói quando se levanta de manhã. Aquilo que não dói, não funciona.

Os vincos que aparecem no seu rosto, quando você ri, não desaparecem quando pára de achar graça.

E então — CABUM! A chuva se transforma num temporal. Os ruídos suaves se transformam em trovões. Parada cardíaca. Filhos na faculdade. Quarenta velas no bolo de aniversário. Óculos bifocais. Bum. BUM! CABUUUUMMMMM!!

Não há como negar agora. Ponce de Leon não encontrou a fonte da juventude e você também não vai encontrá-la. Ah, mas como procuramos. A papada cresce. O cabelo preto se torna cinza, fica preto de novo ou, então, loiro. O carro esporte é trocado por uma perua. O rosto se alonga. O queixo pende para baixo. Os seios precisam de uma levantada.

Por mais que tentemos retardar, as páginas do calendário vão passando. Os relógios ainda funcionam. O corpo continua ficando mais velho. Cada comprimido que tomamos apenas serve para lembrarmos que ficar mais velho é uma pílula que deve ser engolida.

Mas por que a pílula desce tão vagarosamente? Por que é tão difícil aceitar? Por que as festas de aniversário nos fazem tremer?

Certamente parte do problema é o espelho (ou pelo menos o reflexo que vemos nele). O que antes estava firme, agora está caído. As coisas que antes se movimentavam, agora só balançam. Dizem que o tempo é o melhor remédio, mas ele é um péssimo esteticista.

Para outros, o tempo é um fracasso. Aquilo que você quis fazer, não fez. Queria morar na casa de campo, mas agora está negociando o aluguel. Jurou que jamais deixaria de trabalhar, mas agora seus armários estão repletos de pijamas de flanela. Estava determinado a deixar um legado, mas tudo o que você deixa para trás é uma trilha de fraldas e canhotos de cheques.

Porém, a verdadeira dor é ainda mais profunda. Para alguns, é a ilusão do sucesso. A vida no topo da escada pode ser solitária. Mesas de mogno ficam frias. Os troféus de campeão de vendas perdem o brilho. Os diplomas ficam amarelados. Há momentos em que os sonhos se tornam realidade e essa realidade é muito menos do que você esperava.

O arrependimento se converte num importante passatempo. O encanador gostaria de ter ido à faculdade de medicina e o médico queria ser encanador. A mulher que trabalha se arrepende do tempo que não passou com seus filhos e a dona de casa gostaria de ter tido uma carreira profissional.

Tudo isso pode ficar ainda pior. O arrependimento pode levar à rebelião. A rebelião contra as exigências. Rebelião contra o materialismo. Rebelião contra a hesitação. Rebelião contra tudo aquilo que o prende: seu trabalho, seu governo, seu carro, ou, pior ainda... sua família.

Aqueles que se rebelam — que optam por perambular pelos becos da fuga — são os melhores candidatos a tropeçar em uma das mais antigas armadilhas de Satanás... o adultério.

Uma jovem e bonita secretária, que fica na outra ponta do corredor, lhe traz alguns papéis, assim como alguma simpatia ao seu escritório...

Seu vizinho diz que não acredita que você teve quatro filhos e ainda continua com este corpo...

O Davi dentro de nós está chamando por uma Bate-Seba. A esposa de Potifar olha para José. Uma pequena brincadeira é feita em cima da grama mais verde e a ferida aparece.

Deixe-me ser bastante claro sobre a minha posição: ficar mais velho pode ser perigoso. O caminho é traiçoeiro e as armadilhas são muitas. Precisamos estar preparados. Você sabe que está para chegar lá. Deus não deixou o processo em segredo. Não é como se você estivesse abrindo uma trilha à medida que vai ficando mais velho. Não é como se ninguém tivesse passado por isso antes. Olhe ao seu redor. Você tem grandes oportunidades de se preparar e vários casos a considerar. Se a velhice o pegar de surpresa, não culpe a Deus. Ele deu uma quantidade suficiente de avisos. Ele também deu diversos conselhos.

Quer alguns exemplos? Que bom que você pediu. Que tal Lucas 17.33?

"Qualquer que procurar salvar a sua vida perdê-la-á, e qualquer que a perder salvá-la-á".

"Existem duas maneiras de ver a vida", é o que Jesus está dizendo aqui. "Há aqueles que a protegem e aqueles que a perseguem. Os mais sábios não são aqueles que têm mais anos de vida, mas os que têm mais vida em seus anos".

Aquilo que Annie Dillard diz sobre o ato de escrever no livro *The Writing Life* também é verdadeiro com relação à vida: "Uma das poucas coisas que se sabe sobre escrever é isso: use tudo, jogue, perca, o tempo todo e em todo lugar. Não guarde aquilo que você acha bom para ser usado em algum outro lugar naquele mesmo livro ou para outro livro; entregue, entregue tudo, entregue agora".

A vida é feita de coisas simples e maravilhosas. Persiga-as. Lute por elas. Faça de tudo para consegui-las. Não dê ouvidos às reclamações daqueles que se contentam em ter uma vida de segunda categoria e querem que você faça o mesmo para que eles não se sintam culpados. Seu objetivo não é viver muito; é viver.

Jesus diz que as opções são claras. De um lado, existe a voz da segurança. Você pode acender sua lareira, permanecer dentro de casa e ficar aquecido, seco e seguro. Não vai se machucar se nunca sair, certo? Não pode ser criticado por aquilo que não tenta fazer, certo? Não pode voltar atrás se não tomou uma posição, certo? Portanto, não tente fazer nada. Escolha o caminho da segurança.

Ou então, você pode ouvir a voz da aventura — a aventura de Deus. Em vez de acender sua lareira, acenda seu coração. Siga os impulsos de Deus. Adote uma criança. Mude para outro país. Lecione naquela classe. Mude de carreira. Candidate-se a um cargo político. Faça diferença. Certamente isto não é seguro, mas o que é?

Você acha que ficar do lado de dentro, longe do frio, é seguro? Jesus discorda. "Qualquer que procurar salvar a sua vida perdê-la-á". Gosto muito das palavras do general Douglas MacArthur quando estava com 78 anos: "Ninguém fica velho simplesmente por viver um determinado número de anos. As pessoas envelhecem ao desistirem de seus ideais. Os anos podem enrugar a pele, mas desistir de nossos objetivos enruga a nossa alma".

Charles Lindbergh, o primeiro piloto a cruzar o Oceano Atlântico, diz o seguinte sobre viver de maneira segura:

> Decidi que, se eu pudesse voar por dez anos antes de morrer num acidente, seria uma troca vantajosa diante de uma vida comum e... quem valoriza mais a vida: os aviadores que passam a vida inteira fazendo aquilo que amam, ou os sovinas que entregaram suas vidas como se estivessem dando esmolas a cada dia?

Leia mais uma vez a admoestação de Jesus: "Qualquer que procurar salvar a sua vida perdê-la-á, e qualquer que a perder salvá-la-á".

Recupere a curiosidade de sua infância. Estar perto do topo da montanha não significa que você já tenha cruzado o pico.

Seus últimos capítulos podem ser seus melhores. Sua última canção pode ser a mais bonita. Pode ser que a vida inteira tenha preparado você para o grande final. Os mais velhos de Deus sempre estiveram entre os mais escolhidos.

Foram suas atividades de octogenário que colocaram Moisés na Bíblia. O velho e maduro Abraão foi muito mais sábio do que o jovem e frágil Abrão. Calebe ainda estava defendendo sua montanha quando tinha 85 anos. Ana foi uma viúva de 84 anos que teve força o bastante para orar pelo Messias e suficiente visão para reconhecê-lo quando o viu.

Dê uma olhada em João, o idoso apóstolo João. O último dos apóstolos. O grande amigo de Jesus. Certamente seus últimos anos foram pacíficos e repletos de descanso. Certamente fez aquilo que precisava fazer.

Não. Não diga isso a João. E não diga isso a Deus. Para nenhum dos dois as coisas já tinham acabado. João tinha mais um capítulo para escrever. O que deveria ser uma ilha de isolamento tornou-se um lugar de inspiração e, nos seus últimos anos, escreveu o último livro da Bíblia. Será que toda a vida de João não o levou para este momento culminante?

Estas são as conhecidas palavras de Robert Browning:

> Envelheça comigo,
> Pois o melhor está por vir.
> O final da vida,
> Para o qual as primeiras coisas foram feitas.

Os anos finais podem ser seus melhores anos. Pergunte a Othmar Ammann. Durante sua "aposentadoria", ele projetou estruturas como as rodovias de Connecticut e Nova Jersey, a Arena Cívica de Pittsburgh, o aeroporto Dulles, e as pontes Throngs Neck e Verrazano Narrows.

Heinrich Schliemann também concordaria. Ele se aposentou para procurar a lendária cidade de Tróia, citada por Homero. E a encontrou.

Winston Churchill, o famoso estadista, tinha todo o direito de descansar depois da Segunda Guerra Mundial, mas não o fez. Em vez disso, ele pegou uma caneta e ganhou o prêmio Nobel de literatura aos 79 anos de idade.

Alguns ficam velhos e vão pescar. Outros, vão caçar — caçar aquilo que sempre quiseram fazer. E fazem.

Um amigo do falecido jurista norte-americano Oliver Wendell Holmes perguntou-lhe por que ele começou a estudar grego aos 94 anos. Holmes respondeu: "Bem, meu caro, é agora ou nunca!"

Quando J. C. Penney tinha 95 anos, fez a seguinte afirmação: "Meus olhos podem não estar enxergando bem, mas minha visão está aumentando cada vez mais".

Conforme ficamos mais velhos, nossa visão deveria melhorar. Não a nossa visão terrena, mas a visão do céu. Aqueles que passaram suas vidas olhando para o céu ganham um tempo a mais na direção da cidade que começam a ver. Depois da morte de Michelângelo, alguém encontrou uma nota que ele escreveu para seu aprendiz. Com a grafia de uma pessoa idosa, o grande artista escreveu: "Pinte, Antônio, pinte; e não perca tempo".

Um pedido muito bem-feito, Michelângelo. O tempo voa. Os dias passam. Os anos se vão. E a vida termina. Aquilo que temos de fazer deve ser feito enquanto há tempo.

Acharíamos muito estranho se o viajante não se preparasse para o final da jornada. Teríamos muita pena do pobre passageiro no itinerário. Ficaríamos perturbados por alguém que pensasse que o propósito da viagem é apenas a viagem.

Foi para estas pessoas que algumas das mais tristes palavras das Escrituras foram registradas. "Passou a sega, findou o verão, e nós não estamos salvos" (Jr 8.20).

Outros, porém, estão antecipando o destino. Espero que você faça parte deste último grupo. Também espero que esteja pronto quando chegar em casa. Para você, a idade não é um inimigo. A idade é apenas um marco — um gentil lembrete de que o lar nunca esteve tão perto.

Diga isso ao seu barbeiro.

9

Leia a História

Quando as Pessoas Decepcionam Você

E eis que, no mesmo dia, iam dois deles [dos discípulos de Jesus] para uma aldeia que distava de Jerusalém sessenta estádios, cujo nome era Emaús. E iam falando entre si de tudo aquilo que havia sucedido. E aconteceu que, indo eles falando entre si e fazendo perguntas um ao outro, o mesmo Jesus se aproximou e ia com eles. Mas os olhos deles estavam como que fechados, para que o não conhecessem. E ele lhes disse: Que palavras são essas que, caminhando, trocais entre vós e por que estais tristes?

E, respondendo um, cujo nome era Cleopas, disse-lhe: És tu só peregrino em Jerusalém e não sabes as coisas que nela têm sucedido nestes dias?

E ele lhes perguntou: Quais?

E eles lhe disseram: As que dizem respeito a Jesus, o Nazareno, que foi um profeta poderoso em obras e palavras diante de Deus e de todo o povo; e como os principais dos sacerdotes e os nossos príncipes o entregaram à condenação de morte e o crucificaram. E nós esperávamos que fosse ele o que remisse Israel; mas, agora, com tudo isso, é já hoje o terceiro dia desde que essas coisas aconteceram. É verdade que também algumas mulheres dentre nós nos maravilharam, as quais de madrugada foram ao sepulcro; e, não achando o seu corpo, voltaram, dizendo que também tinham visto uma visão de anjos, que dizem que ele vive. E alguns dos que estavam conosco foram ao sepulcro e acharam ser assim como as mulheres haviam dito, porém, não o viram.

E ele lhes disse: Ó néscios e tardos de coração para crer tudo o que os profetas disseram! Porventura, não convinha que o Cristo padecesse essas coisas e entrasse na sua glória? E, começando por Moisés e por todos os profetas, explicava-lhes o que dele se achava em todas as Escrituras.

E chegaram à aldeia para onde iam, e ele fez como quem ia para mais longe. E eles o constrangeram, dizendo: Fica conosco, porque já é tarde, e já declinou o dia. E entrou para ficar com eles.

E aconteceu que, estando com eles à mesa, tomando o pão, o abençoou e partiu-o e lho deu. Abriram-se-lhes, então, os olhos, e o conheceram, e ele desapareceu-lhes. E disseram um para o outro: Porventura, não ardia em nós o nosso coração quando, pelo caminho, nos falava e quando nos abria as Escrituras?

E, na mesma hora, levantando-se, voltaram para Jerusalém e acharam congregados os onze e os que estavam com eles, os quais diziam: Ressuscitou, verdadeiramente, o Senhor e já apareceu a Simão.

E eles lhes contaram o que lhes acontecera no caminho, e como deles foi conhecido no partir do pão.

LUCAS 24.13-35

"E disseram um para o outro: Porventura, não ardia em nós o nosso coração quando, pelo caminho, nos falava e quando nos abria as Escrituras?"

LUCAS 24.32

COM DEZ ANOS DE IDADE, Finéias levantou-se antes do sol nascer. Ele mal dormiu toda aquela noite. Muito antes de qualquer som ser ouvido na casa, ele já havia descido as escadas com sua mala feita, pronto para entrar na carroça.

Era o ano de 1820. Finéias estava prestes a ver uma ilha. A sua ilha. A ilha que lhe haviam prometido no dia do seu nascimento. No dia em que nasceu, seu avô presenteou o recém-nascido Finéias com uma escritura, dando-lhe uma considerável porção de terra, do Estado norte-americano de Connecticut, chamada Ivy Island. Naquele dia, pela primeira vez, Finéias estava saindo para visitar aquela terra.

Não são todos os meninos que já nascem como proprietários. Os pais de Finéias sempre fizeram questão de lembrar este fato a seu filho. Eles pediam ao menino que não se esquecesse deles quando ficassem velhos. Os vizinhos temiam que aquele jovem proprietário de terra não fosse brincar com seus filhos.

Suas preocupações eram legítimas. Finéias era diferente de seus colegas. Enquanto eles sonhavam com dragões e cavaleiros, suas fantasias estavam voltadas à Ivy Island. Algum dia ele seria o senhor de seu próprio território. Construiria uma casa. Começaria uma fazenda. Criaria gado. Governaria sobre seus próprios domínios.

Quando você é dono de uma ilha, você se sente importante.

Quando você é dono de uma ilha, você quer vê-la. Finéias ainda não vira a sua. Ele insistiu com seu pai para que o levasse, até que, finalmente, no verão de 1820, seu pai concordou.

Três noites sem dormir antecederam a expedição. Então, cedo de manhã, Finéias, seu pai e um empregado subiram numa pequena carroça e começaram a jornada tão esperada. Enfim, Finéias veria a sua terra.

Ele mal podia ficar sentado. Quando chegavam ao topo de uma colina, perguntava: "Já estamos chegando? Posso ver daqui?" E todas as vezes seu pai insistia em que ele tivesse paciência, assegurando-lhe que estavam se aproximando.

Por fim, seu pai apontou para o norte, para além de uma campina, na direção de uma fileira de árvores altas que se esticavam rumo ao céu. "Ali", disse o pai. "Ali está Ivy Island".

Finéias ficou pasmo. Pulou da carroça e saiu correndo pela campina, deixando seu pai bem para trás. Ele caminhou na direção das árvores para perto de uma clareira, através da qual Ivy Island podia ser vista.

Quando viu a terra, ele parou. Seu coração ficou pesado.

Ivy Island media cerca de 2 hectares (mais ou menos 20.000 m^2). Na verdade, era um pântano infestado de cobras. Seu avô dizia que aquela era a terra mais valiosa de Connecticut. No entanto, ela não tinha valor algum. Seu pai lhe dissera que aquele era um presente muito generoso. Não era. Era uma piada... uma piada cruel. Ao ver Finéias atordoado, o pai e o empregado caíram na risada.

Finéias não era o afortunado beneficiário da família. Era o alvo do riso de toda a família. O vovô Taylor pregara uma peça em seu herdeiro.

Finéias não riu. Também não se esqueceu. Aquele desapontamento marcou o resto de sua vida. Ele, o enganado, criou um estilo de vida a partir de sua decepção. O pequeno menino, que fora enganado, fez uma carreira de enganador de pessoas.

É possível que ele mesmo o tenha enganado.

Você não o conhece pelo nome Finéias. Você o conhece pelas iniciais P. T. Você não o conhece como um proprietário de terras, mas sim como um comediante. Você o conhece como a pessoa que criou a frase "Existe um trouxa nascendo a cada minuto". Ele passou o resto de sua vida provando isto. Esta foi a vida de P. T. — P. T. Barnum.

Assim é a vida de muitos outros, pessoas que receberam a promessa de que seriam levadas à terra prometida apenas para perceber que foram parar num pântano.

Nesta semana fui ao aeroporto juntamente com um empresário que, uma década atrás, tinha um salário vinte vezes maior do que o de hoje. Isto foi antes de sua indústria se arruinar. Foi antes de sua falência.

Depois do sermão de domingo passado, uma mulher de outra cidade perguntou o que deveria fazer com suas lembranças. Perguntei-lhe o que estava querendo dizer e ela respondeu: "Eu quero ir à igreja, mas fui abusada por um pastor quando era menina. Agora, todas as vezes que vou à igreja, lembro-me disso".

Uma amiga minha diz que seu marido se importa mais com o jogo de golfe do que com ela.

Mesmo quando eu estava escrevendo, um colega de trabalho deu uma passada em casa para me informar sobre o processo que ele havia movido contra o construtor que nunca terminou sua casa.

Há algo de errado com essas pessoas? Não, seus desejos são sadios. Uma deseja que seu empreendimento comercial seja forte e a outra quer prestar uma adoração satisfatória. O marido que vai honrar sua promessa, um construtor que vai manter sua palavra. Quem poderia acusar essas pessoas em razão de seus sonhos? Quem poderia culpá-las por estarem sonhando? Quem poderia pensar que seus sonhos seriam destruídos?

Certamente ninguém.

Agora, porém, eles estão diante de uma decisão. O que fazer com suas desilusões? O que podem fazer com seus corações partidos? Não estamos falando de dificuldades ou confusões. Não estamos discutindo trivialidades como filas longas, semáforos fechados ou um jogo de futebol que não foi dos melhores. Estamos falando de corações partidos. Estamos falando sobre o que os dois amigos de Jesus estavam sentindo alguns dias após sua morte. O mundo caíra sobre eles. Isto fica claro pela maneira como eles estão caminhando. Seus pés se arrastam, suas cabeças estão baixas, seus ombros estão caídos. Os dez quilômetros que separam Jerusalém de Emaús pareciam cem.

Enquanto caminhavam, eles "iam falando entre si de tudo aquilo que havia sucedido" (v. 14). Não é difícil imaginar quais seriam suas palavras.

"Por que as pessoas se voltaram contra Ele?"

"Ele poderia ter descido da cruz. Por que não fez isso?"

"Ele simplesmente deixou que Pilatos fizesse tudo o que queria."

"O que vamos fazer agora?"

Enquanto caminhavam, um estranho aproximou-se por trás deles. É Jesus, mas eles não conseguem reconhecê-lo. O desapontamento vai fazer isso com você. Ele vai cegá-lo, de modo que não consiga reconhecer a própria presença de Deus. O desânimo faz com que seus olhos se voltem para o interior. Deus pode estar caminhando ao nosso lado, mas o desespero encobre a nossa visão.

O desespero faz alguma coisa além disso. Ele não apenas encobre a nossa visão, mas também endurece o nosso coração. Ficamos cínicos. Ficamos calejados. Quando chegam as boas notícias, nós não queremos aceitá-las pelo medo de sermos desapontados outra vez. Foi isso o que aconteceu àqueles dois discípulos.

Mais tarde, eles dizem as seguintes palavras:

> É verdade que também algumas mulheres dentre nós nos maravilharam, as quais de madrugada foram ao sepulcro; e, não achando o seu corpo, voltaram, dizendo que também tinham visto uma visão de anjos, que dizem que ele vive. E alguns dos que estavam conosco foram ao sepulcro e acharam ser assim como as mulheres haviam dito, porém, não o viram.
>
> LUCAS 24.22-24

Ao lermos as Escrituras, nem sempre podemos saber com que tom as palavras foram ditas. Às vezes, não sabemos se o locutor está muito feliz, triste ou calmo. Nesta oportunidade, porém, não há dúvidas sobre o que eles estão pensando. *Como se já não fosse ruim o suficiente o fato de Jesus ter sido assassinado, agora algum ladrão de sepulturas roubou o corpo e enganou alguns de nossos amigos.*

Aqueles dois seguidores não estavam dispostos a acreditar nas mulheres. Se você me engana uma vez, a vergonha é sua. Se você me engana duas vezes, a vergonha é minha. Cleopas e seu amigo estão colocando seus corações numa concha. Eles não vão correr nenhum outro risco. Não serão feridos outra vez.

É uma reação comum, não é? Já se machucou por causa do amor? Então, não ame. Teve uma promessa não cumprida? Então, não confie. Não quer ter o coração partido? Então, não o entregue. Faça como P. T. Barnum. Empate o jogo culpando o mundo e endurecendo seu coração.

Existe uma linha muito tênue que, se for cruzada, pode ser fatal. É a linha que separa o desapontamento da raiva. Entre ser ferido e odiar, entre a amargura e a culpa. Se você está se aproximando desta linha, deixe-me pedir-lhe que não a cruze. Dê um passo para trás e faça a seguinte pergunta: por quanto tempo vou pagar pelo meu desapontamento? Até quando vou ficar cuidando da minha ferida?

Em algum momento você deverá prosseguir. Chegará o momento em que precisará se curar. Há um momento em que você precisa deixar que Jesus faça o que fez por aqueles homens.

Quer saber o que Ele fez? Antes de mais nada, foi até eles. Eu sei que já mencionamos isso, mas vale a pena repetir. Ele não ficou sentado no banco de trás, de braços cruzados, dizendo: "Por que é que esses dois não aceitam o plano?" Ele não reclamou com o anjo dizendo: "Por que eles não acreditam no sepulcro vazio? Por que são tão difíceis de serem agradados?"

O que Ele fez? Ele se encontrou com eles no momento de dor. Embora a morte tivesse sido destruída e o pecado anulado, Jesus não se aposentou. O Senhor ressurreto mais uma vez se revestiu da carne, colocou roupas humanas e foi em busca de corações feridos.

Leia com atenção as palavras daqueles homens e veja se pode descobrir qual era a ferida deles:

> E ele [Jesus] lhes perguntou: Quais?
>
> E eles lhe disseram: As que dizem respeito a Jesus, o Nazareno, que foi um profeta poderoso em obras e palavras diante de Deus e de todo o povo; e

> como os principais dos sacerdotes e os nossos príncipes o entregaram à condenação de morte e o crucificaram. E nós esperávamos que fosse ele o que remisse Israel.
>
> Lucas 24.19-21

Aqui está. "E nós esperávamos..." Os discípulos tinham esperança de que Jesus fosse o libertador de Israel. Eles esperavam que Ele expulsasse os romanos. Esperavam que Pilatos fosse deposto e que Jesus assumisse. Entretanto, Pilatos ainda estava lá e Jesus estava morto.

Expectativas frustradas. Jesus não fez o que eles queriam que Ele fizesse.

Eles sabiam o que esperavam de Jesus. Sabiam o que Ele deveria fazer. Eles não precisavam perguntar-lhe. Se Jesus é o Messias, Ele não vai dormir durante a minha tempestade. Não vai nem mesmo morrer. Não vai desafiar as tradições. Ele vai fazer o que deve ser feito.

E não estamos felizes? Não estamos felizes pelo fato de a oração de Cleopas e de seu amigo não terem sido respondidas? Não estamos felizes pelo fato de Deus não ter ajustado sua agenda para satisfazer os requisitos daqueles dois discípulos?

Eles eram bons discípulos. Tinham um bom coração. Oravam com sinceridade. Porém tinham expectativas erradas.

Quando minha filha mais velha tinha cerca de 6 anos, nós dois tivemos uma discussão sobre meu trabalho. Parecia que ela não estava muito feliz com a profissão que eu havia escolhido. Ela queria que eu deixasse o ministério. "Eu gosto de você como pregador", explicou ela, "mas queria que você vendesse sorvetes".

Um pedido honesto de um coração puro. Fazia sentido para ela que as pessoas mais felizes do mundo eram aqueles homens que dirigiam os caminhões de sorvete. Nos Estados Unidos, esses caminhões são grandes e vistosos. Enquanto passam pelas ruas, eles tocam música, mais ou menos como os caminhões de gás no Brasil. Você toca música. Você vende doces. Faz as crianças felizes. O que mais você poderia querer? (Pensando bem no que ela disse, ela pode estar certa. Eu poderia obter um empréstimo, comprar um caminhão de... Hummm; pensando bem, não. Eu comeria demais.)

Ouvi seu pedido, mas não o atendi. Por quê? Porque tinha mais conhecimento. Sabia para o que havia sido chamado e o que eu precisava fazer. O fato é que eu sei mais sobre a vida do que ela.

E aqui está o ponto: Deus sabe mais sobre a vida do que nós.

As pessoas queriam que Cristo redimisse Israel, mas Ele sabia mais coisas. Jesus preferiria que seu povo ficasse temporariamente oprimido a que se perdesse eternamente. Quando foi forçado a escolher entre lutar contra Pilatos e lutar contra Satanás, Ele optou pela batalha que nós não poderíamos vencer. Ele disse não àquilo que eles queriam e sim àquilo que eles precisavam. Ele disse não a um Israel livre e sim a toda a humanidade libertada.

E, mais uma vez, não estamos felizes por Ele ter feito isso? Não estamos felizes pelo que faz hoje?

Agora, seja honesto. Estamos realmente felizes quando Ele diz não àquilo que queríamos e sim àquilo que precisamos? Nem sempre. Se pedimos um novo casamento e Ele nos pede que honremos aquele que já temos, nós não ficamos felizes. Se pedimos cura e Ele diz que devemos aprender através da dor, não ficamos felizes. Se pedimos mais dinheiro e Ele diz que devemos valorizar aquilo que não vemos, nem sempre ficamos felizes.

Quando Deus não faz aquilo que queremos, não é fácil. Nunca foi. Nunca será. Mas a fé é a convicção de que Deus sabe mais do que nós sobre a vida, e que nos guiará pelo caminho.

Lembre-se: o desapontamento é causado por expectativas não satisfeitas.

O desapontamento é curado por expectativas renovadas.

Gosto da história do rapaz que foi até uma loja de animais em busca de um canário. Parece que ele era sozinho e sua casa estava muito quieta. O dono da loja tinha o pássaro perfeito para ele, de modo que o rapaz terminou comprando. No dia seguinte, o rapaz solitário chegou em casa, vindo do trabalho, e entrou numa casa cheia de música. Ele foi até a gaiola para alimentar o pássaro e notou pela primeira vez que o canário tinha apenas uma perna.

Ele se sentiu trapaceado pelo fato de ter comprado um animal de uma perna só. Assim, ligou para a loja e reclamou.

"O que você quer", disse o dono da loja, "um pássaro que pode cantar ou um pássaro que pode dançar?"

Esta é uma boa pergunta para nossos desapontamentos. O que você quer? Foi isso o que Jesus perguntou aos discípulos. O que vocês querem? Querem liberdade temporária ou eterna? Jesus estava começando a reestruturar as expectativas deles.

Você sabe o que Ele fez? Ele contou-lhes uma história. Não era uma história qualquer. Contou-lhes a história de Deus e o seu plano para as pessoas. "E, começando por Moisés e por todos os profetas, explicava-lhes o que dele se achava em todas as Escrituras" (v. 27).

Fascinante. A cura de Jesus para os corações partidos é a história de Deus. Ele começou com Moisés e terminou consigo mesmo. Por que fez aquilo? Por que recontou uma história tão antiga? Por que voltou dois mil anos no tempo, chegando até a história de Moisés? Acho que você sabe a resposta. Eu sei, porque aquilo que eles ouviram é o que todos nós precisamos ouvir quando estamos desapontados.

Precisamos ouvir que Deus ainda está no controle. Precisamos saber que nada está encerrado até que Ele diga sim. Precisamos ouvir que os infortúnios e as tragédias da vida não são motivo para pular do barco. São simplesmente uma razão para tentarmos da maneira correta.

Corrie ten Boom costumava dizer: "Quando um trem entra num túnel e o mundo fica escuro, você pula dele? É claro que não. Você fica sentado, firme, e confia que o engenheiro projetou uma saída".

Por que Jesus contou a história? Para que soubéssemos que o maquinista ainda controla o trem.

Quer saber como lidar com o desânimo? A cura para o desapontamento? Volte para a história. Leia-a diversas vezes. Lembre-se de que você não é a primeira pessoa a chorar. Também não será a primeira a ser ajudada.

Leia a história e lembre-se: a história deles também é a sua!

O desafio é muito grande? Leia a história. Lá está você, cruzando o mar Vermelho junto com Moisés.

Muitas preocupações? Leia a história. Aquele ali é você, recebendo comida do céu junto com os israelitas.

Suas feridas são muito profundas? Leia a história. Lá está você, José, perdoando seus irmãos por lhe terem traído.

Seus inimigos são muito poderosos? Leia a história. Lá está Josafá, numa batalha já vencida.

Seus desapontamentos são muito grandes? Leia a história dos discípulos no caminho de Emaús. O Salvador, que eles pensavam estar morto, estava caminhando ao lado deles. Eles entraram em casa e sentaram-se à mesa. Então, alguma coisa aconteceu em seus corações. "Porventura, não ardia em nós o nosso coração quando, pelo caminho, nos falava e quando nos abria as Escrituras?" (v. 32)

Da próxima vez que você ficar desapontado, não se desespere. Não pule fora. Não desista. Simplesmente seja paciente e deixe que Deus o lembre de que Ele ainda está no controle. Nada vai chegar ao fim antes que Deus assim o determine.

O Pavio Fumegante

Fibras entrelaçadas para criar a chama
Chama acesa para gerar luz
Vento frio, sopro quente
A vela dura a noite inteira
O teimoso tição luta
Duela com as sombras e busca
Uma chama mais forte que o torne
Um fogo crepitante de calor.

10

O Poder de uma Oração Tímida

Quando Você Fica Pensando se suas Orações São Importantes

E, quando se aproximou dos discípulos, viu ao redor deles grande multidão e alguns escribas que disputavam com eles. E logo toda a multidão, vendo-o, ficou espantada, e, correndo para ele, o saudaram.

E perguntou aos escribas: Que é que discutis com eles?

E um da multidão, respondendo, disse: Mestre, trouxe-te o meu filho, que tem um espírito mudo; e este, onde quer que o apanha, despedaça-o, e ele espuma, e range os dentes, e vai-se secando; e eu disse aos teus discípulos que o expulsassem, e não puderam.

E ele, respondendo-lhes, disse: Ó geração incrédula! Até quando estarei convosco? Até quando vos sofrerei ainda? Trazei-mo.

E trouxeram-lho; e, quando ele o viu, logo o espírito o agitou com violência; e, caindo o endemoninhado por terra, revolvia-se, espumando.

E perguntou ao pai dele: Quanto tempo há que lhe sucede isto?

E ele disse-lhe: Desde a infância. E muitas vezes o tem lançado no fogo e na água, para o destruir; mas, se tu podes fazer alguma coisa, tem compaixão de nós e ajuda-nos.

E Jesus disse-lhe: Se tu podes crer; tudo é possível ao que crê.

E logo o pai do menino, clamando, com lágrimas, disse: Eu creio, Senhor! Ajuda a minha incredulidade.

E Jesus, vendo que a multidão concorria, repreendeu o espírito imundo, dizendo-lhe: Espírito mudo e surdo, eu te ordeno: sai dele e não entres mais nele.

E ele, clamando e agitando-o com violência, saiu; e ficou o menino como morto, de tal maneira que muitos diziam que estava morto. Mas Jesus, tomando-o pela mão, o ergueu, e ele se levantou.

E, quando entrou em casa, os seus discípulos lhe perguntaram à parte: Por que o não pudemos nós expulsar?

E disse-lhes: Esta casta não pode sair com coisa alguma, a não ser com oração e jejum.

MARCOS 9.14-29

"E disse-lhes: Esta casta não pode sair com coisa alguma, a não ser com oração e jejum."

Marcos 9.29

Este capítulo não é para os Concordes. É para os pulverizadores de colheitas.

Alguns de vocês se parecem com aquele avião a jacto, o Concorde: suave, liso, altivo e imponente. Suas palavras reverberam nas nuvens e enviam ruídos supersônicos por todos os céus. Se você ora como um Concorde, eu o saúdo. Se não, eu compreendo.

Talvez você seja como eu, mais parecido com aqueles pequenos teco-tecos pulverizadores de colheitas do que com um Concorde. Você não é veloz, voa baixo, parece que está passando sobre o mesmo terreno várias vezes e, em determinadas manhãs, é difícil fazer o motor pegar de primeira.

A maioria de nós é assim. A maior parte de nossa vida de oração precisa passar por uma retífica.

A vida de oração de algumas pessoas carece de consistência. Elas não são nem um oásis nem um deserto. Palavras longas, áridas e secas são interrompidas por breves mergulhos nas águas da comunhão. Passamos dias ou até mesmo semanas sem uma oração consistente, mas, quando alguma coisa acontece — quando ouvimos um sermão, lemos um livro, experimentamos uma tragédia — somos levados a orar e, assim, mergulhamos em suas águas. Submergimos em oração e saímos de lá refrescados e renovados. Porém, quando retomamos a jornada, nossas orações ficam para trás.

Existem outros de nós que precisam de sinceridade. Nossas orações são um pouco vazias, memorizadas e rígidas. É mais liturgia do que vida. São feitas diariamente, mas são enfadonhas.

Existem também aquelas que precisam de... bem, honestidade. Nós sinceramente ficamos pensando se as orações fazem alguma diferença. Por que Deus, lá no céu, gostaria de falar comigo, aqui na terra? Se Deus sabe todas as coisas, quem sou eu para dizer-lhe qualquer coisa? Se Deus controla tudo, quem sou eu para fazer algo?

Se você sente dificuldade em orar, eu tenho a pessoa certa para você. Não se preocupe, pois ele não é um santo monástico. Não é um apóstolo de joelhos calejados. Também não é um profeta cujo sobrenome é Meditação. Ele não é uma pessoa santa demais, daquelas que vão ficar olhando por cima de seus ombros para o lembrar de que precisa orar. Ele é simplesmente o oposto. É um colega na pulverização das colheitas. É um pai com um filho doente que precisa de um milagre. As orações do pai não foram muitas, mas a resposta foi significativa e o resultado nos lembra de uma coisa: o poder não está na oração; está naquEle que a ouve.

Ele orou em meio ao desespero. Seu filho, seu único filho, estava possuído pelo demônio. Aquele rapaz não era simplesmente um surdo-mudo que sofria de epilepsia, era alguém que estava possuído por um espírito maligno. Desde que era um menino, o demônio o jogava no fogo e na água.

Imagine a dor do pai. Os outros pais podiam ver seus filhos crescer e amadurecer; aquele pai só conseguia ver o sofrimento de seu filho. Enquanto os outros pais estavam ensinando uma profissão aos seus filhos, ele estava simplesmente tentando manter seu filho vivo.

Que desafio! Ele não podia deixá-lo sozinho por um minuto. Quem poderia prever quando aconteceria o próximo ataque? O pai precisava estar de plantão, alerta durante as 24 horas do dia. Ele estava desesperado e cansado, e sua oração refletiu as duas coisas.

"Se tu podes fazer alguma coisa, tem compaixão de nós e ajuda-nos".

Ouça esta oração. Ela parece corajosa? Confiante? Forte? Dificilmente.

Uma palavra poderia ter feito uma grande diferença. Em vez de dizer *se*, o que aconteceria se dissesse *como*? "*Como* tu podes fazer alguma coisa, tem compaixão de nós e ajuda-nos".

Mas não foi isso o que disse. Ele disse *se*. O termo grego é ainda mais enfático. O tempo verbal utilizado não deixa dúvidas. É como se o homem estivesse dizendo: "É bem provável que isso esteja fora do seu alcance, mas, se você puder..."

É o apelo clássico de um pulverizador de colheitas. Está mais para submisso do que para poderoso. É mais tímido do que imponente. Mais semelhante a uma ovelha manca chegando-se ao pastor do que a um leão orgulhoso rugindo na floresta. Se a oração dele se parece com a sua, não desanime, pois é assim que começa a oração.

Ela começa como um anelo. Um apelo honesto. Pessoas comuns olhando para o monte Everest. Sem pretensão. Sem vanglória. Sem pose. Apenas oração. Uma débil oração, mas, sem dúvida, uma oração.

Somos tentados a esperar para orar até que saibamos como orar. Já ouvimos as orações daqueles que são maduros espiritualmente.

Ouvimos os rigores dos disciplinados. Estamos convencidos de que temos um longo caminho a percorrer.

Já que preferimos não orar a fazê-lo de maneira errada, nós simplesmente não oramos. Oramos com pouca freqüência. Estamos esperando para orar quando aprendermos como devemos orar.

Ainda bem que este homem não cometeu o mesmo erro. Ele não é uma pessoa de orar muito. A oração não era algo freqüente em sua vida. Ele até mesmo admite isso! "Eu creio, Senhor!", implorou ele. "Ajuda a minha incredulidade" (veja Mc 9.24).

Esta oração nunca vai aparecer no manual de adoração. Nenhum salmo será escrito a partir deste pedido. Seu pedido foi simples, sem qualquer encantamento ou palavras mágicas. Mas Jesus respondeu. Ele respondeu não em função da eloqüência do homem, mas em razão da dor que aquele homem sentia.

Jesus tinha muitas razões para desconsiderar o pedido daquele homem.

Por um lado, Jesus tinha acabado de voltar da montanha, do Monte da Transfiguração. Enquanto esteve lá, sua face transformou-se e suas roupas se tornaram resplandecentes (veja Lc 9.29). Uma intensa radiação emanava dEle. Os fardos da terra eram substituídos pelos esplendores do céu. Moisés e Elias se achegaram e os anjos o encorajaram. Ele foi erguido acima do poeirento horizonte da terra e convidado a se aproximar do sublime. Ele se transfigurou. A jornada rumo ao céu era por demais festiva.

No entanto, a jornada rumo à terra era desanimadora.

Quando moramos no Rio de Janeiro, ocasionalmente tirávamos férias e íamos a Teresópolis, uma cidade montanhosa a poucas horas da capital. Teresópolis era tudo o que o Rio não era. Era calma, limpa, silenciosa... e, acima de tudo, fresca. O Rio era uma sauna.

A descida da serra era sempre deprimente. Pobreza, calor e poluição nos atingiam tal como uma onda. Enfrentávamos a enorme tentação de dar meia-volta e retornar a Teresópolis.

Se eu e Denalyn nos sentíamos assim depois de uma semana nas montanhas, imagine o que Jesus deve ter sentido após ter tido um vislumbre do céu!

Veja o caos que o saúda quando Ele retorna. Os discípulos e os líderes religiosos estavam discutindo. Uma multidão de curiosos estava parada, olhando. O menino que sofrera a vida inteira, diante do público. O pai, que viera ao seu socorro, desesperado, perguntando a si mesmo por que ninguém podia ajudá-lo.

Não é de se espantar que Jesus tenha dito: "Ó geração incrédula! Até quando estarei convosco? Até quando vos sofrerei ainda?" (v. 19)

Em nenhum outro momento a diferença entre o céu e a terra foi tão gritante.

A arena da oração nunca foi tão pobre. Onde está a fé neste quadro? Os discípulos haviam fracassado, os escribas estavam surpresos, o demônio vencia e o pai estava desesperado. Você se sentiria sobrecarregado por ter de encontrar uma agulha de crença neste palheiro.

Você pode até mesmo estar sendo pressionado a encontrar uma agulha em seu próprio palheiro. Talvez a sua vida também esteja bem distante do céu. Um lar barulhento — crianças gritando, em vez de anjos cantando. Religião que provoca divisão —, seus líderes religiosos mais obrigam do que ministram. Problemas enormes. Você não consegue se lembrar de quando não tinha este demônio por perto.

Então, lá no meio deste imenso barulho da dúvida, surge sua voz tímida: "Se o Senhor puder fazer alguma coisa por mim..."

Será que uma oração assim faz alguma diferença?

Vamos deixar que Marcos nos dê a resposta.

> E Jesus, vendo que a multidão concorria, repreendeu o espírito imundo, dizendo-lhe: Espírito mudo e surdo, eu te ordeno: sai dele e não entres mais nele. E ele, clamando e agitando-o com violência, saiu; e ficou o menino como morto, de tal maneira que muitos diziam que estava morto. Mas Jesus, tomando-o pela mão, o ergueu, e ele se levantou.
>
> Marcos 9.25-27

Isto perturbou os discípulos. Tão logo se distanciaram da multidão, eles perguntaram a Jesus: "Por que o não pudemos nós expulsar?"

A resposta de Jesus? "Esta casta não pode sair com coisa alguma, a não ser com oração".

Que oração? Que oração fez a diferença? Será que foi a oração dos apóstolos? Não, eles não oraram. Deve ter sido a oração dos escribas. Talvez eles tenham ido ao templo e intercedido por aquele menino. Não. Os escribas também não oraram. Então, deve ter sido o povo. Talvez eles tenham feito uma vigília pelo rapaz. Também não. O povo não orou. Eles nunca dobraram seus joelhos. Então, qual oração levou Jesus a expulsar o demônio?

Só existe uma oração nessa história. É a oração honesta de um homem ferido. Uma vez que Deus é mais tocado pela dor do que pela eloqüência, Ele respondeu. É isso o que os pais fazem.

Foi exatamente isso que Jim Redmond fez.

Seu filho Derek, um inglês de 26 anos, era o favorito para vencer a corrida dos 400 metros na Olimpíada de Barcelona, em 1992. No meio do caminho da prova semifinal, uma terrível dor se espalhou por sua perna direita. Ele caiu no meio da pista com um tendão rompido.

Enquanto os médicos se aproximavam, Redmond tentava ficar em pé. "Era o instinto animal", diria ele mais tarde. Ele começou a pular, empurrando todo o mundo numa tentativa louca de terminar a corrida.

Depois de ter olhado para o seu ferimento, um grande homem saiu do meio da multidão. Ele estava usando uma camiseta com a seguinte frase: "Você já abraçou seu filho hoje?", e um boné no qual estava escrito uma frase desafiadora: "Simplesmente faça". O homem era Jim Redmond, o pai de Derek.

— Você não precisa fazer isso — disse ele a seu filho em prantos.

— Sim, eu preciso — respondeu Derek.

— Então, que seja assim — disse Jim. — Nós vamos terminar isso juntos.

E foi isso o que fizeram. Jim passou o braço de Derek por seus ombros e o ajudou a caminhar, mancando, até a linha de chegada. Lutando para afastar os seguranças, a cabeça do filho parecia se afundar nos ombros do pai e assim foram, até cruzar a linha de chegada.

A multidão aplaudiu, se levantou, gritou e, por fim, chorou quando o pai e o filho terminaram a corrida.

O que fez com que aquele pai fizesse isso? O que fez com que o pai deixasse a arquibancada para ir até seu filho na pista de corrida? Foi a força de seu filho? Não, foi a dor de seu filho. Seu filho estava ferido e tentava completar a corrida de qualquer maneira. Desse modo, o pai o ajudou a concluir aquela tarefa.

Deus faz a mesma coisa. Nossas orações podem ser desajeitadas. Nossas tentativas podem ser débeis. Porém, uma vez que o poder da oração está naquEle que a ouve e não naquele que a faz, nossas orações fazem diferença.

II

Luzes Brilhantes em Noites Escuras

Quando Você não Tem Escolha

Depois disso, havia uma festa entre os judeus, e Jesus subiu a Jerusalém. Ora, em Jerusalém há, próximo à Porta das Ovelhas, um tanque, chamado em hebreu Betesda, o qual tem cinco alpendres. Nestes jazia grande multidão de enfermos: cegos, coxos e paralíticos, esperando o movimento das águas. Porquanto um anjo descia em certo tempo ao tanque e agitava a água; e o primeiro que ali descia, depois do movimento da água, sarava de qualquer enfermidade que tivesse. E estava ali um homem que, havia trinta e oito anos, se achava enfermo. E Jesus, vendo este deitado e sabendo que estava neste estado havia muito tempo, disse-lhe: Queres ficar são?

O enfermo respondeu-lhe: Senhor, não tenho homem algum que, quando a água é agitada, me coloque no tanque; mas, enquanto eu vou, desce outro antes de mim.

Jesus disse-lhe: Levanta-te, toma tua cama e anda. Logo, aquele homem ficou são, e tomou a sua cama, e partiu. E aquele dia era sábado.

Então, os judeus disseram àquele que tinha sido curado: É sábado, não te é lícito levar a cama.

Ele respondeu-lhes: Aquele que me curou, ele próprio disse: Toma a tua cama e anda.

Perguntaram-lhe, pois: Quem é o homem que te disse: Toma a tua cama e anda?

E o que fora curado não sabia quem era, porque Jesus se havia retirado, em razão de naquele lugar haver grande multidão.

Depois, Jesus encontrou-o no templo e disse-lhe: Eis que já estás são; não peques mais, para que te não suceda alguma coisa pior.

E aquele homem foi e anunciou aos judeus que Jesus era o que o curara.

E, por essa causa, os judeus perseguiram Jesus e procuravam matá-lo, porque fazia essas coisas no sábado.

E Jesus lhes respondeu: Meu Pai trabalha até agora, e eu trabalho também.

Por isso, pois, os judeus ainda mais procuravam matá-lo, porque não só quebrantava o sábado, mas também dizia que Deus era seu próprio Pai, fazendo-se igual a Deus.

João 5.1-18

"E Jesus... disse-lhe: Queres ficar são?
O enfermo respondeu-lhe: Senhor, não tenho homem algum
que, quando a água é agitada, me coloque no tanque."

João 5.6,7

Durante muito tempo, essa história não fez qualquer sentido para mim. Eu não conseguia entendê-la. É sobre um homem que tinha tão pouca fé que mal conseguia ficar em pé, porém Jesus o trata como se ele tivesse entregado seu próprio filho para ser sacrificado no altar de Deus. Mártires e apóstolos merecem tal honra, mas não um homem pobre que não reconhece a Jesus quando o vê. Pelo menos era isso o que eu pensava.

Durante muito tempo achei que Jesus tinha sido muito bondoso. Pensava que a história era bizarra demais. Aquilo tudo era bom demais para ser verdade. Então, percebi uma coisa. Essa história não é sobre um inválido em Jerusalém. Essa história é sobre você. É sobre mim. Aquele camarada não é anônimo. Ele tem um nome: o seu. Ele tem uma face: a minha. Ele tem um problema: os mesmos que nós temos.

Jesus encontra o homem próximo a um grande tanque ao norte do templo de Jerusalém. Ela media 110 metros de comprimento, 40 de largura e 23 de profundidade. Uma colunata de 5 pórticos cercava as águas. É um monumento de riqueza e prosperidade, mas seus visitantes eram pessoas enfermas e doentes.

Seu nome é Betesda. Poderia se chamar Parque do Ibirapuera, Hospital Metropolitano ou até mesmo Restaurante da Maria. Poderia ser uma reunião de sem-teto debaixo de um viaduto da cidade ou a Igreja Batista do Calvário. Poderia ser uma reunião qualquer de pessoas feridas.

Uma fonte subterrânea fazia com que aquele enorme tanque borbulhasse ocasionalmente. As pessoas acreditavam que as bolhas eram causadas pela movimentação das asas de um anjo. Elas também acreditavam que a primeira pessoa que tocasse a água, após o anjo tê-la tocado, seria curada. Será que a cura realmente acontecia? Eu não sei. O que sei é que uma multidão de pessoas inválidas ia a este local para fazer uma tentativa.

Imagine um campo de batalha cheio de corpos feridos e você verá Betesda. Imagine uma enfermaria repleta de enfermos, além disso com poucos médicos, e você enxergará aquele tanque. Tenha em mente os órfãos de Bangladesh ou os abandonados de Nova Delhi e você verá o que as pessoas viam quando passavam diante de Betesda. Quando passavam por ali, o que as pessoas ouviam? Um ruído, gemidos infindáveis. O que elas testemunhavam? Um campo de necessidades sem rosto. O que elas faziam? A maioria passava de largo, ignorando as pessoas.

Mas isso não aconteceu com Jesus. Ele está em Jerusalém para uma festa. Está sozinho. Não está ali para ensinar os discípulos ou para atrair uma multidão. As pessoas precisam dEle — e é por isso que está ali.

Dá para imaginar? Jesus está caminhando no meio do sofrimento.

O que Ele está pensando? Quando uma mão infectada toca seu

tornozelo, o que faz? Quando uma criança cega tropeça nos pés de Jesus, será que se abaixa para levantá-la? Quando uma mão mirrada se estende pedindo esmola, como Jesus reage?

Independente de o tanque de água se chamar Betesda ou Bar do Zé... o que Deus sente diante das pessoas sofridas?

Vale a pena contar a história, mesmo se ficarmos apenas olhando-o enquanto caminha. Vale a pena simplesmente saber que Ele veio. Ele não precisava fazê-lo, como você sabe. Certamente existem pessoas mais asseadas em toda a Jerusalém. É claro que existem atividades mais agradáveis. Além do mais, esta é a festa da Páscoa. É um momento de grande agitação em toda a Cidade Santa. As pessoas vieram de muitos lugares distantes para se encontrar com Deus no templo.

Poucas pessoas realmente sabem que Deus está com os doentes.

Poucas sabem que Deus está caminhando vagarosamente, dando passos cuidadosos entre os mendigos e os cegos.

Poucas sabem que aquele carpinteiro jovem e forte que está examinando aquele tosco retrato de dor é o próprio Deus.

"Em toda a angústia deles foi ele angustiado" (Is 63.9). Naquele dia, Jesus deve ter sofrido muito.

Naquele dia, Jesus deve ter suspirado com freqüência enquanto caminhava pelo tanque de Betesda... Ele também suspira quando chega perto de mim e de você.

Lembra-se de que eu disse que esta história era sobre nós? De que encontro nossos rostos na Bíblia? Bem, aqui estamos nós, preenchendo os espaços em branco entre as letras do versículo 5: "E estava ali um homem que, havia trinta e oito anos, se achava enfermo".

Talvez você não goste de ser descrito desta maneira. É possível que você prefira ver-se a si mesmo na coragem de Davi ou na devoção de

Maria. Todos nós gostaríamos. Mas antes de você e eu podermos ser como eles, devemos admitir que somos iguais ao paralítico. Inválidos, sem opção. Não podemos caminhar. Não podemos trabalhar. Não podemos cuidar de nós mesmos. Não podemos nem mesmo descer os degraus do tanque para tirarmos proveito da água do anjo.

Você pode estar segurando este livro com mãos sadias e lendo-o com olhos fortes e, por isso, não consegue imaginar o que você e aquele inválido de quatro décadas têm em comum. De que maneira ele poderia ser você? O que temos em comum com ele?

Simples. A nossa situação e a nossa esperança. Que situação? Ela é descrita em Hebreus 12.14: "Segui... a santificação, sem a qual ninguém verá o Senhor".

Esta é a nossa situação. Somente o santo verá a Deus. Santidade é um pré-requisito para se chegar ao céu. A perfeição é um requisito para a eternidade. Gostaríamos que não fosse assim. Nós nos comportamos como se não fosse dessa maneira. Agimos achando que os "decentes" verão ao Senhor. Sugerimos que aqueles que se esforçam verão a Deus. Vivemos como se pudéssemos dizer que somos bons simplesmente por não fazermos nada muito ruim. E, para nós, essa bondade é suficiente para que sejamos considerados aptos a ir para o céu.

Isto nos parece bastante justo, mas não é justo para Deus. Ele estabelece um padrão. E o seu padrão é alto. "Sede vós, pois, perfeitos, como é perfeito o vosso Pai, que está nos céus" (Mt 5.48).

Como você pode ver, no plano de Deus, Deus é o padrão da perfeição. Nós não nos comparamos com os outros, pois eles são tão ruins quanto nós. O objetivo é sermos como Ele; qualquer coisa menos que isso é considerada insuficiente.

É por isso que eu digo que aquele inválido é você e eu. Nós, tal como aquele inválido, estamos paralisados. Tal como aquele paralítico, estamos presos numa armadilha. Tal como aquele inválido, estamos bloqueados: não temos uma solução para o apuro em que estamos.

Eu e você estamos ali, deitados no chão. Somos nós, feridos e exaustos. Quando a questão é a cura de nossa situação espiritual, nós não temos nenhuma chance. É como se tentássemos chegar até a lua de escada. Não temos aquilo que precisamos para sermos curados. Nossa única esperança é que Deus fará por nós aquilo que Ele fez por aquele homem junto ao tanque de Betesda: Deus vai sair do templo e entrar em nossa enfermaria cheia de dor e desespero.

Foi exatamente isso o que Ele fez.

Leia devagar e atenciosamente a descrição que Paulo faz daquilo que Deus fez por você: "E, quando vós estáveis mortos nos pecados e na incircuncisão da vossa carne, vos vivificou juntamente com ele, perdoando-vos todas as ofensas, havendo riscado a cédula que era contra nós nas suas ordenanças, a qual de alguma maneira nos era contrária, e a tirou do meio de nós, cravando-a na cruz. E, despojando os principados e potestades, os expôs publicamente e deles triunfou em si mesmo" (Cl 2.13-15).

Ao olhar para as palavras acima, responda às seguintes perguntas. Quem está fazendo a obra? Você ou Deus? Quem é o agente? Você ou Deus? Quem está salvando? Você ou Deus? Quem é aquEle que tem força? E quem é que está paralisado?

Vamos isolar algumas frases e analisá-las. Primeiramente, olhe para sua condição: "E, quando vós estáveis mortos nos pecados e na incircuncisão da vossa carne..."

Aquele inválido estava numa situação melhor que a nossa. Pelo menos ele estava vivo. Paulo diz que se eu e você estivermos fora de Cristo, então estamos mortos. Espiritualmente mortos. Corpos sem vida. Cadáveres. Mortos. O que uma pessoa morta pode fazer? Não muita coisa.

Mas veja o que Deus pode fazer com o morto.

"Deus nos vivificou."

"Deus nos perdoou."

"Deus cancelou a nossa dívida."

"Deus tirou de nosso meio a cédula que era contra nós."

"Deus riscou as ordenanças dessa cédula."

"Deus venceu."

"Deus mostrou ao mundo a sua vitória."

Mais uma vez, a pergunta: quem está ativo? Eu e você ou Deus? Quem está preso na armadilha e quem vem resgatar?

Deus jogou o colete salva-vidas para todas as gerações.

Veja Jonas na barriga do peixe — cercado por sucos gástricos e algas marinhas digeridas. Por três dias, Deus o deixou ali. Por três dias, Jonas analisou as opções. E, por três dias, chegou à mesma conclusão: ele não tinha nenhuma escolha. Olhando-o a partir do lugar onde está assentado (ou flutuando), só existem duas saídas, mas nenhuma delas é muito atraente. Entretanto, Jonas também não é. Ele fracassou como pregador. Como fugitivo, foi uma decepção. Na melhor das hipóteses foi um covarde e, na pior, um traidor. Agora, lá estava ele, no meio das tripas de um peixe.

Nesta situação, Jonas faz a única coisa que poderia fazer: ele ora. Não fala nada sobre sua própria bondade, mas fala muito sobre quão bom é Deus. Antes de dizer amém, o peixe tem uma cólica, sua barriga se mexe e Jonas dá de cara na praia.

Pense em Daniel na cova dos leões. Suas perspectivas não são muito melhores que as de Jonas. Jonas fora engolido e Daniel está prestes a sê-lo. Está ali, encurralado na parede, com a cara do leão tão próxima que é capaz de sentir o seu bafo. O maior dos leões coloca uma pata no peito de Daniel e se curva para dar a primeira mordida e... nada acontece. Em vez de uma mordida, ouve-se apenas um bocejo. Daniel olha para baixo e vê o nariz de outro leão passando perto de sua barriga. Os lábios do leão estão roçando sua barriga, mas sua boca não se abre.

É nesse momento que Daniel ouve uma risada no canto da cova. Ele não sabe quem é aquela pessoa, mas tem certeza de que é brilhante e está se divertindo muito. A expressão de seu rosto é aquela do tipo "viu só o que eu fiz quando você não estava olhando?"

Olhe para José na cisterna, um poço de argila no meio do deserto. A tampa fora colocada em cima e a lã tirada de diante de seus olhos. Quem está lá fora são seus irmãos, rindo e comendo como se não tivessem feito nada demais. Eles tinham a intenção de deixá-lo naquele lugar para passar o resto de seus dias com as aranhas e as cobras e, então, morrer naquela cisterna.

Tal como Jonas e Daniel, José está numa armadilha. Ele não tem opção. Não há saída. Não há esperança. Porém, como os filhos de Jacó são tanto gananciosos quanto mal-intencionados, José é vendido para um beduíno que ia para o sul e isto muda a sua história. Embora a estrada para o palácio faça um desvio pela prisão, ela, por fim, chega ao trono. E José termina se colocando diante de seus irmãos, desta vez com um pedido de ajuda vindo da parte deles. Ele é sábio o suficiente para dar-lhes aquilo que eles pedem e não o que merecem.

Olhe para Barrabás no corredor da morte. O apelo final foi indeferido. A execução foi marcada. Barrabás mata o tempo jogando paciência em sua cela. Ele está resignado com o fato de que o fim está próximo. Não apela. Não implora. Não exige. A decisão foi tomada e Barrabás vai morrer.

Tal como Jonas, Daniel e José, tudo está encerrado, exceto o futuro. E tal como Jonas, Daniel e José, o tempo de chorar não chega. Os passos do chefe da prisão ecoam na câmara. Barrabás imagina-o trazendo as algemas e o último cigarro. Errado. O chefe da prisão traz roupas para que ele saia. Barrabás deixa a prisão como um homem livre porque alguém que ele provavelmente nunca vira antes tomou o seu lugar.

Assim são as histórias da Bíblia. Uma experiência de quase morte atrás da outra. Exatamente no momento em que o pescoço está debaixo da lâmina, quando o laço está ao redor do pescoço, o Calvário chega.

Os anjos batem à porta de Ló — Gênesis 19.

O redemoinho fala a Jó — Jó 38–42.

O Jordão cura a doença de Naamã — 2 Reis 5.

Um anjo aparece na cela de Pedro — Atos 12.

Os esforços de Deus são mais fortes quando nossos esforços são inúteis.

Volte ao tanque de Betesda por um instante. Quero que dê uma olhada no curto, mas revelador, diálogo entre o paralítico e o Salvador. Antes de Jesus curá-lo, Ele faz a seguinte pergunta:

— Queres ficar são?

— Senhor, não tenho homem algum que, quando a água é agitada, me coloque no tanque; mas, enquanto eu vou, desce outro antes de mim (v. 7).

Estaria aquele homem reclamando? Está sentindo pena de si mesmo? Ou está apenas relatando os fatos? Não sabemos. Mas antes de pensarmos demais sobre esta situação, veja o que acontece a seguir.

— Levanta-te, toma tua cama e anda.

"Logo, aquele homem ficou são, e tomou a sua cama, e partiu".

Eu gostaria que nós fizéssemos isso. Queria que considerássemos cegamente as palavras de Jesus. Tal como os céus, eu gostaria que pudéssemos aprender que quando Ele diz alguma coisa, aquilo acontece. Que paralisia tão peculiar é essa que nos confina? Que indisposição teimosa é essa que nos impede que sejamos curados? Quando Jesus nos pede para ficarmos de pé, fiquemos.

Quando Ele diz que somos perdoados, deixemos o fardo da culpa.

Quando Ele diz que somos valiosos, acreditemos nEle.

Quando Ele diz que somos eternos, sepultemos nosso medo.

Quando Ele diz que receberemos provisão, paremos de nos preocupar.

Quando Ele diz "levanta-te", façamos exatamente isso.

Gosto muito da história do soldado que correu atrás do cavalo de Alexandre, o Grande, e conseguiu trazê-lo de volta. Quando aquele soldado foi entregar o animal ao general, Alexandre agradeceu-lhe dizendo: "Obrigado, capitão".

Com uma única palavra, o soldado foi promovido. Quando o general disse aquilo, o soldado acreditou. Foi até o vestiário do quartel, escolheu um novo uniforme e o vestiu. Foi até o dormitório dos oficiais e escolheu uma cama. Entrou no refeitório dos oficiais e fez uma refeição.

Como foi o general que disse aquilo, ele acreditou. Que possamos fazer o mesmo.

Esta é a sua história? Pode ser. Todos os elementos são os mesmos. Um desconhecido gentil entrou em seu mundo ferido e ofereceu ajuda.

Agora, depende de você aceitá-la ou não.

12

A Coisa mais Difícil que Deus já Fez

Compreendendo as Prioridades de Deus

E, alguns dias depois, entrou outra vez em Cafarnaum, e soube-se que estava em casa. E logo se ajuntaram tantos, que nem ainda nos lugares junto à porta eles cabiam; e anunciava-lhes a palavra. E vieram ter com ele, conduzindo um paralítico, trazido por quatro. E, não podendo aproximar-se dele, por causa da multidão, descobriram o telhado onde estava e, fazendo um buraco, baixaram o leito em que jazia o paralítico. E Jesus, vendo-lhes a fé, disse ao paralítico: Filho, perdoados estão os teus pecados.

E estavam ali assentados alguns dos escribas, que arrazoavam em seu coração, dizendo: Por que diz este assim blasfêmias? Quem pode perdoar pecados, senão Deus?

E Jesus, conhecendo logo em seu espírito que assim arrazoavam entre si, lhes disse: Por que arrazoais sobre estas coisas em vosso coração? Qual é mais fácil? Dizer ao paralítico: Estão perdoados os teus pecados, ou dizer-lhe: Levanta-te, e toma o teu leito, e anda? Ora, para que saibais que o Filho do Homem tem na terra poder para perdoar pecados (disse ao paralítico), a ti te digo: Levanta-te, e toma o teu leito, e vai para tua casa.

E levantou-se e, tomando logo o leito, saiu em presença de todos, de sorte que todos se admiraram e glorificaram a Deus, dizendo: Nunca tal vimos.

Marcos 2.1-12

"Qual é mais fácil? Dizer ao paralítico:
Estão perdoados os teus pecados, ou dizer-lhe:
Levanta-te, e toma o teu leito, e anda?"

MARCOS 2.9

VAMOS FALAR UM POUCO sobre explosões de amor.

Você certamente já ouviu falar de explosões solares: imensas labaredas que se elevam a milhares de quilômetros da superfície do sol. Também já ouviu falar de explosões estelares: fenômenos astronômicos em que uma estrela explode e emite grande quantidade de luz. Bem, já ouviu falar de explosões no sentido geral, e é desnecessário explicar o que são elas. Você já sentiu uma explosão de amor? Pode ser que você não tenha chamado o evento desta maneira, mas com certeza já o sentiu.

Explosão de amor. Afeição espontânea. Devoção fervorosa. Explosões de ternura. Posso ilustrar?

Você e seu marido estão numa festa. Você está batendo papo com algumas mulheres e seu marido está do outro lado da sala, numa roda de homens. O assunto do seu grupo são os maridos e a opinião geral é negativa. As mulheres reclamam da quantidade de jogos de futebol, meias sujas e noites passadas no trabalho. Porém você está em silêncio. Diz pouca coisa porque tem pouco a dizer. O homem com quem você casou não é perfeito, mas também não é um problema. Na verdade, comparado a esses homens, ele parece ser bastante especial. Ele tem trocado mais fraldas do que precisa, e os jogos de futebol com os amigos diminuíram bastante desde que o último filho nasceu. Você olha pela sala em direção ao seu marido e sorri quando o vê arrumando o terno que o convenceu a usar. Ele continua tão bonito quanto o era no dia em que vocês se conheceram. Sim, a barriga aumentou um pouco e está um pouquinho mais careca, mas você não liga para essas coisas. Tudo o que vê é o homem que roubou seu coração. E, de repente, você seria capaz de remar até a China simplesmente para dizer o quanto está feliz pelo fato de ele ter conquistado seu coração.

Esta é uma explosão de amor. Vejamos outra.

Já faz um certo tempo desde a última vez que segurou um bebê nos braços. Já faz tempo que você nem mesmo se aproxima de um bebê. Mas agora, está sozinho com um bebê. Seus filhos o deixaram em sua casa para que pudessem sair e sua esposa foi até o supermercado para comprar um pouco de leite. Agora, é apenas você e o seu neto. Ele tem apenas algumas semanas de idade e está bem enrolado nos seus cobertores. Enquanto você o embala em seus braços, percebe que é a primeira vez que vocês dois estão sozinhos. Com toda a festa e os amigos no hospital, vocês não puderam compartilhar de um momento a sós — até agora. Assim, você se assenta numa grande poltrona e vira o bebê de modo que possa ver sua face. Pensa no futuro, no futuro dele: os primeiros passos, o primeiro beijo, os esportes, a universidade. Você fica imaginando o que será crescer num mundo onde a dor parece estar em todo lugar.

Enquanto olha seus pequenos olhos, percebe aquele nariz que veio do outro lado da família; isso o atinge. Vindo do nada, você descobre em seu coração um arroubo de devoção. De repente, se dá conta de que assim como o inferno pode atingi-lo, também poderá atingir este pequeno ser que você tem nos braços. "Vai dar tudo certo", é o que você diz àquele menino que está dormindo. "Aconteça o que acontecer, simplesmente lembre-se que estou aqui. Vai dar tudo certo".

Quer ouvir mais uma?

Você chega em casa arrebentado porque um dos prazos foi antecipado. E sua esposa chega muito brava porque uma funcionária da creche se esqueceu de dar à sua filha de cinco anos o remédio que precisava tomar para a garganta. Cada um de vocês está desejoso de receber um pouco de simpatia um do outro, mas nenhum dos dois consegue obter isso do outro. Assim, vocês se sentam à mesa de jantar — arrebentado e brava — juntamente com a pequena Emily. A menina coloca as duas mãos juntas para orar (conforme foi ensinada) e vocês dois curvam suas cabeças (mas não seus corações) e ouvem. Só Deus sabe de onde veio aquela oração.

"Deus, aqui é Emily. Como vai você? Eu estou bem, obrigado. Papai e mamãe estão muito chateados. Eu não sei por quê. Nós temos pássaros, brinquedos, purê de batata e um ao outro. Será que você poderia fazer com que eles não ficassem mais bravos? Por favor, faça isso, senão, somente você e eu vamos nos divertir esta noite. Amém".

A oração é respondida antes mesmo de terminar. Vocês dois olham um para o outro durante a oração e riem no final, pedindo desculpas. Em seguida, agradecem a Deus pela pequena voz que os fez lembrar daquilo que é realmente importante.

É isto que fazem as explosões de amor. Elas nos fazem lembrar daquilo que realmente importa. É um telegrama entregue na porta dos fundos da sua casa, dizendo que você deve valorizar o tesouro que possui durante o tempo em que o está armazenando. É o sussurro de um anjo — ou de alguém que se parece com um — lembrando-lhe que aquilo que você tem é maior do que aquilo que você quer e o que é urgente nem sempre é o mais importante.

Estes atos são explosões de amor. Você as tem. Eu as tenho. E você pode ficar surpreso com o que vou dizer: Jesus as teve... muitas delas.

Uma delas aconteceu quando Jesus se encontrou com um paralítico. O homem não podia andar. Nem sequer podia ficar em pé. Seus membros eram tortos e seu corpo estava curvado. Um mundo que só existia da cintura para cima passava diante dele quando se assentava e olhava.

Talvez estivesse paralisado, tendo o corpo oprimido por uma doença desde o nascimento. Enquanto outras crianças pulavam e corriam, ele tinha dificuldades para levar uma colher à boca. Enquanto seus irmãos e irmãs falavam e cantavam, suas palavras não eram claras e saíam com dificuldade. Talvez nunca tenha entendido o que era ser são.

Mas pode ser que tenha sabido o significado desta palavra alguma vez. Pode ser que tivesse sido sadio durante algum tempo. Será que houve um tempo durante o qual ele foi conhecido por sua capacidade, em vez de por sua deficiência? Será que houve um tempo quando ele pôde correr mais rápido que outras pessoas? Será que durante alguma fase de sua vida ele foi o mais forte da turma? Será que houve um dia em que todos os meninos da rua queriam ser como ele?

Então, veio a queda — um tropeção na beira de um morro ou até mesmo nas escadas de casa. A dor em sua cabeça era insuportável, mas perder a sensibilidade de seus braços e de suas pernas foi ainda pior. Seus pés pendiam como uma espécie de ornamento no final de suas pernas. Suas mãos estavam dependuradas como mangas de camisa vazias ao lado do corpo. Ele podia ver seus membros, mas não podia senti-los.

Quer ele tenha nascido paralisado ou tenha ficado paralisado, o resultado final era o mesmo: dependência total das outras pessoas. Alguém precisava lavar o seu rosto e banhar o seu corpo. Ele não podia assoar o nariz nem dar uma caminhada. Ele somente conseguia correr em seus sonhos e seus sonhos sempre acabavam diante de um corpo que não podia se virar, o que fazia com que ele não conseguisse mais dormir em função de toda a dor que aquele pesadelo lhe trouxera.

"Ele precisa é de um corpo novo" é o que diria qualquer pessoa com um mínimo de inteligência. O que precisava era de um Deus no céu que restaurasse aquilo que a tragédia lhe havia tirado: braços que se movessem, mãos que apertassem e pés que dançassem.

Quando as pessoas olhavam para ele, não viam o homem; viam um corpo que precisava de um milagre. Não foi isso o que Jesus viu, mas o que as pessoas viram. Certamente também era isso o que seus amigos viram. Então, eles fizeram o que qualquer um de nós faria por um amigo. Eles tentaram obter algum tipo de ajuda que o beneficiasse.

Correu entre as pessoas a notícia de que o carpinteiro que virou mestre e operador de maravilhas estava na cidade. Conforme se espalhou a novidade, as pessoas se reuniram. Vieram de todas as partes de Israel. Vieram como soldados retornando da batalha — cheios de ataduras, mancando, sem um olho. Os velhos, com uma pele parecendo uma ameixa seca e bocas sem dentes. Os jovens, com bebês surdos e corações partidos. Pais com filhos que não podiam falar. Esposas com ventres que não podiam gerar filhos. Parecia que o mundo inteiro viera até aquele lugar para saber se Jesus era real, bondoso ou os dois.

No momento em que os amigos chegaram àquele lugar, a casa estava cheia. As pessoas lotavam as portas. As crianças estavam sentadas nas janelas. Algumas pessoas só conseguiam olhar por entre os ombros dos outros. De que maneira esse pequeno grupo de amigos poderia atrair a atenção de Jesus? Eles precisavam fazer uma escolha: nós entramos ou desistimos?

O que teria acontecido se os amigos tivessem desistido? E se tivessem dado de ombros — reclamando alguma coisa sobre a multidão ser muito grande e o jantar estar esfriando —, virassem as costas e saíssem? Além do mais, eles já tinham mostrado muito interesse chegando até aquele lugar. Quem poderia culpá-los por virar as costas e ir embora? Poucas pessoas fazem tanto por alguém. Mas aqueles amigos queriam fazer mais.

Um deles disse que tinha uma idéia. Os quatro se reuniram ao redor do paralítico e ouviram o plano de subir no telhado da casa, abrir o teto e abaixar o amigo usando algumas cordas.

Era um plano arriscado — eles poderiam cair. Era perigoso — *ele* poderia cair. Era pouco ortodoxo — destelhar uma casa era um comportamento anti-social. Era inoportuno — Jesus estava ocupado. Entretanto, era sua única chance de ver a Jesus. Então, eles subiram até o telhado.

A fé faz estas coisas. A fé faz aquilo que é inesperado. E a fé chama a atenção de Deus. Veja o que Marcos disse: "E Jesus, vendo-lhes a fé, disse ao paralítico: Filho, perdoados estão os teus pecados" (v. 5).

Finalmente alguém levava as palavras de Jesus a sério! Quatro homens tiveram suficiente esperança nEle e amor por seu amigo de modo a se arriscarem. A maca que desceu do alto era um sinal do alto: alguém estava acreditando! Alguém estava disposto a correr o risco da vergonha e dos ferimentos por apenas alguns momentos com o Galileu.

Jesus ficou enternecido.

Tal como a mulher que transbordava de amor por seu marido barrigudo, mas precioso.

Tal como o avô determinado a proteger seu neto.

Tal como os pais tocados pela oração de sua filha.

Jesus foi tocado por aquela cena de fé. Então, Ele aplaude — se não com suas mãos, ao menos com seu coração. Ele não apenas aplaude, mas abençoa. E nós testemunhamos uma explosão de amor.

Os amigos queriam que Jesus curasse seu amigo. Mas Ele não estava determinado a operar apenas a cura do corpo — Cristo também queria curar a alma. Ele trabalha por partes, cuidando do físico e lidando com o espiritual. Curar o corpo é algo temporal; curar a alma é eterno.

O pedido dos amigos é válido, mas tímido. As expectativas da multidão são grandes, mas não o suficiente. Eles esperavam que Jesus dissesse "eu curo você", mas Ele disse "eu perdôo você".

Eles esperavam que Jesus cuidasse do corpo, pois era isso o que eles estavam vendo.

Jesus opta por cuidar não apenas do corpo, mas também do espiritual, pois é isso o que Ele vê.

Eles queriam que Jesus desse ao homem um novo corpo, de modo que pudesse andar. Jesus queria dar a graça, de modo que pudesse viver.

Notável. Há momentos em que Deus é tão tocado por aquilo que vê, que nos dá aquilo que precisamos e não apenas o que pedimos.

Isto é muito bom, pois quem jamais poderia pensar em pedir a Deus o que Ele nos dá? Qual de nós poderia ousar fazer a seguinte oração: "Deus, peço que o Senhor se pendure numa cruz em meu lugar como pagamento por todos os erros que eu já cometi"? E, além disso, ter a audácia de dizer: "E, depois de me perdoar, você poderia me preparar um lugar em sua casa para que eu vivesse para sempre?"

Como se isso não bastasse, ainda poderíamos adicionar o seguinte: "Deus, você poderia viver dentro de mim, me proteger, me guiar e me abençoar com muito mais coisas do que eu mereço?"

Sinceramente, será que teríamos a petulância de fazer um pedido como esse? Não. Nós, tal como os amigos, pediríamos apenas as coisas pequenas.

Pedimos por coisas pequenas como uma vida longa, um corpo saudável e um bom emprego. São grandes pedidos a partir da nossa perspectiva, mas, a partir da perspectiva de Deus, é como pedir uma bicicleta quando Ele está nos oferecendo uma limusine.

Assim, sabendo que o paralítico não tinha conhecimento suficiente para pedir o que realmente precisava, Jesus lhe concedeu isso de qualquer forma: "Filho, perdoados estão os teus pecados" (v. 5).

Os fariseus começaram a murmurar. Isto não é adequado. Até mesmo um judeu principiante sabia que somente Deus podia perdoar pecados (v. 7).

Sua murmuração provoca uma das maiores perguntas de Cristo: "Qual é mais fácil? Dizer ao paralítico: Estão perdoados os teus pecados, ou dizer-lhe: Levanta-te, e toma o teu leito, e anda?" (v. 9)

Responda você esta pergunta. O que é mais fácil para Jesus? Perdoar uma alma ou curar um corpo? O que causaria menos dor a Jesus: dar saúde àquele homem ou abrir-lhe as portas do céu?

Curar o corpo daquele homem exigiu uma ordem simples; perdoar os seus pecados exigiu o sangue de Jesus. O primeiro ato foi feito na casa dos amigos; o segundo, numa colina ao lado de ladrões. O primeiro exigiu apenas uma palavra; o outro, seu corpo. Um exigiu apenas um momento; o outro, a sua vida.

O que foi mais fácil?

Seu amor por aquele grupo de pessoas fiéis era tão forte que Ele foi além de seu pedido e caminhou direto para a cruz.

Jesus já conhecia o custo da graça. Já sabia o preço do perdão. No entanto, Ele o oferece de qualquer maneira. O amor explodiu em seu coração.

A propósito, Cristo não mudou. O que aconteceu ali, acontece hoje. Quando damos um passo de fé, Deus nos vê. A mesma face que olhou para o paralítico, olha para o alcoólatra que se afasta da garrafa. Os mesmos olhos que brilharam diante dos amigos, brilham diante da mãe e do pai que vão fazer qualquer coisa que for necessária para levar seu filho a Jesus. Os mesmos lábios que falaram ao homem em Cafarnaum, falam aos homens em São Paulo, à mulher em Belfast e à criança em Moscou... a qualquer pessoa, em qualquer lugar, que ouse chegar à presença de Deus e pedir ajuda.

Embora não possamos ouvir daqui, os anjos podem ouvi-lo de lá. Todo o céu faz uma pausa quando são pronunciadas as únicas palavras que realmente importam: "Seus pecados estão perdoados".

13

Aquilo que Somente Deus Pode Fazer

Quando Você É Preso pelo Legalismo

E havia entre os fariseus um homem chamado Nicodemos, príncipe dos judeus. Este foi ter de noite com Jesus e disse-lhe: Rabi, bem sabemos que és mestre vindo de Deus, porque ninguém pode fazer estes sinais que tu fazes, se Deus não for com ele.

Jesus respondeu e disse-lhe: Na verdade, na verdade te digo que aquele que não nascer de novo não pode ver o Reino de Deus.

Disse-lhe Nicodemos: Como pode um homem nascer, sendo velho? Porventura, pode tornar a entrar no ventre de sua mãe e nascer?

Jesus respondeu: Na verdade, na verdade te digo que aquele que não nascer da água e do Espírito não pode entrar no Reino de Deus. O que é nascido da carne é carne, e o que é nascido do Espírito é espírito. Não te maravilhes de te ter dito: Necessário vos é nascer de novo. O vento assopra onde quer, e ouves a sua voz, mas não sabes donde vem, nem para onde vai; assim é todo aquele que é nascido do Espírito.

Nicodemos respondeu e disse-lhe: Como pode ser isso?

Jesus respondeu e disse-lhe: Tu és mestre de Israel e não sabes isso? Na verdade, na verdade te digo que nós dizemos o que sabemos e testificamos o que vimos, e não aceitais o nosso testemunho. Se vos falei de coisas terrestres, e não crestes, como crereis, se vos falar das celestiais? Ora, ninguém subiu ao céu, senão o que desceu do céu, o Filho do Homem, que está no céu.

E, como Moisés levantou a serpente no deserto, assim importa que o Filho do Homem seja levantado, para que todo aquele que nele crê não pereça, mas tenha a vida eterna.

Porque Deus amou o mundo de tal maneira que deu o seu Filho unigênito, para que todo aquele que nele crê não pereça, mas tenha a vida eterna. Porque Deus enviou o seu Filho ao mundo não para que condenasse o mundo, mas para que o mundo fosse salvo por ele. Quem crê nele não é condenado; mas quem não crê já está condenado, porquanto não crê no nome do unigênito Filho de Deus. E a condenação é esta: Que a luz veio ao mundo, e os homens amaram mais as trevas do que a luz, porque as suas obras eram más. Porque todo aquele que faz o mal aborrece a luz e não vem para a luz para que as suas obras não sejam reprovadas. Mas quem pratica a verdade vem para a luz, a fim de que as suas obras sejam manifestas, porque são feitas em Deus.

JOÃO 3.1-21

"Jesus respondeu: Na verdade, na verdade te digo que aquele que não nascer da água e do Espírito não pode entrar no Reino de Deus."

João 3.5

Sabedoria da fazenda: até mesmo o terreno mais fértil permanece estéril se nenhuma semente for lançada nele.

Aparentemente Nicodemos não sabia disso. Ele pensava que o solo poderia gerar frutos sem que fossem lançadas sementes. Era muito experimentado nas questões do fazendeiro, mas descuidado com a semente; era um legalista. É assim que um legalista pensa. O legalista prepara o solo, mas se esquece da semente.

Nicodemos se encaminhou para o legalismo de maneira honesta. Ele era um fariseu.

Os fariseus achavam que a fé é uma obra exterior. As roupas que você usa, como age, o título que possui, o som da suas orações, o montante das suas ofertas — todas estas coisas eram a medida da espiritualidade de acordo com os fariseus.

Se eles tivessem sido fazendeiros, certamente teriam as terras mais atraentes da região: armazéns bem pintados e equipamento brilhando. As cercas seriam incrivelmente brancas e limpas. O solo arado e irrigado.

Se eles tivessem sido fazendeiros, teriam passado horas no restaurante discutindo a teoria de como conduzir uma fazenda. É melhor lançar fertilizante antes ou depois da chuva? Você cultiva a terra a cada dois ou três anos? O fazendeiro deve usar macacão ou uma calça jeans? Chapéus de caubóis ou bonés?

Os fariseus só tinham um problema. Discutiam muito sobre as técnicas corretas, porém colhiam pouco fruto. Na verdade, em alguns poucos meses, um Galileu com pouco treinamento tinha gerado mais frutos do que todos os fariseus de uma geração inteira. Isso fez com que eles ficassem muito enciumados. Irados. Condescendentes. Eles decidiram tratar aquele Galileu ignorando seus resultados e insultando seus métodos.

Ou melhor, todos os fariseus, exceto Nicodemos. Ele era curioso. Não, mais do que curioso: ele estava perturbado. Perturbado pela maneira como as pessoas davam ouvidos a Jesus. Elas o ouviam como se Ele fosse o dono da verdade. Como se fosse um profeta.

Nicodemos estava perplexo com aquilo que via Jesus fazer. Como na ocasião em que Jesus entrou no templo e virou as mesas dos cambistas. Houve um tempo na vida de Nicodemos em que ele sentiu tal paixão. Mas isso já fazia muito tempo; foi antes dos títulos, antes das vestimentas, antes das regras.

Nicodemos é atraído ao carpinteiro, porém ele não pode ser visto com Jesus. Ele faz parte da Alta Corte, não pode se aproximar do Mestre durante o dia. Assim, esse fariseu vai se encontrar com Jesus à noite, na escuridão.

Faz sentido. O legalismo não oferece luz alguma.

Nicodemos começa com cortesias: "Rabi, bem sabemos que és mestre vindo de Deus, porque ninguém pode fazer estes sinais que tu fazes, se Deus não for com ele" (v. 2).

Jesus desconsidera o elogio: "Na verdade, na verdade te digo que aquele que não nascer de novo não pode ver o Reino de Deus" (v. 3).

Nada de conversa mole. Sem papo furado. Direto ao ponto. Direto ao coração. Direto no problema. Jesus sabe que o coração do legalista é duro. Sabe que não pode quebrar aquele coração com linguagem empolada. Você precisa de uma talhadeira. Então, Jesus começa a martelar:

Você não pode ajudar um cego acendendo as luzes, Nicodemos.

Você não pode ajudar um surdo aumentando o volume da música, Nicodemos.

Você não pode mudar o interior decorando o exterior, Nicodemos.

Você não pode colher nenhum fruto se não plantar uma semente, Nicodemos.

Você precisa nascer de novo.

Blam, blam, blam!

O encontro de Jesus e Nicodemos foi mais do que um encontro entre duas figuras religiosas. Foi uma colisão entre duas filosofias. Duas visões antagônicas da salvação.

Nicodemos pensava que a pessoa fazia a obra; Jesus dizia que Deus é quem faz a obra. Nicodemos pensava que tudo era uma troca; Jesus dizia que era um presente. Nicodemos pensava que o homem deveria merecê-la; Jesus dizia que o homem deveria aceitá-la.

Estas duas visões englobam todas as visões. Todo o mundo religioso pode ser posto em um dos dois campos: legalismo ou graça. A humanidade faz ou Deus faz. Salvação como um pagamento pelos feitos realizados ou salvação como um dom baseado na morte de Cristo.

O legalista acredita que a suprema força por trás da salvação é você mesmo. Se tiver uma aparência correta, se falar de maneira adequada e pertencer ao segmento correto do grupo correto, você será salvo. O peso da responsabilidade não está em Deus, mas em você.

O resultado? O exterior brilha. A conversa é boa e o andar é verdadeiro. Porém olhe com mais atenção. Ouça com cuidado. Alguma coisa está faltando. O que é? A alegria. O que está lá dentro? Medo (de que você não vai fazer o suficiente). Arrogância (porque você acha que já fez muito). Fracasso (no caso de você cometer algum erro).

O legalismo é um mundo escuro.

Talvez você não soubesse disso. É possível que esteja lendo estas linhas com uma expressão de surpresa, perguntando: "Max, o que esta história está fazendo neste livro? Eu pensei que este livro tratava dos encontros de Jesus com as pessoas que estavam sofrendo grande dor. Nicodemos não está sofrendo. Ele é um cara influente. Tem bons amigos. Estuda a Bíblia. Ele não está sofrendo, está?"

Se você fizer essa pergunta, seja agradecido. Se nunca se deparou com a força do legalismo, parabéns. Você foi poupado.

Porém, muitos de nós não foram. Outros poderiam responder à questão acima melhor do que eu. O legalismo é uma tortura lenta e sufocante do espírito. É a amputação dos sonhos de uma pessoa. É simplesmente uma religião que mantém você vivo, mas que não é suficiente para nutri-lo.

Então, você morre de fome. Seus mestres não sabem aonde ir para encontrar comida e, desse modo, vocês passam fome juntos. Sua dieta é composta de regras e padrões. Não há vitaminas. Tudo sem gosto. Nada é agradável. Apenas uma religião previsível e amena.

Isso me faz lembrar de um grupo do qual participei quando era garoto. Quando tinha 8 anos, fiz parte de um coral de meninos. Nós nos encontrávamos duas noites por semana, durante duas horas. Usávamos blazers e cantávamos em banquetes. Nós até mesmo fizemos uma turnê.

Curiosamente, nosso instrutor era um ex-sargento de treinamento. Antes de liderar o coral de meninos, era o chefe de um campo de treinamento militar. É claro que algumas coisas do passado respingaram naquele presente. Todas as noites, durante os ensaios, nós fazíamos uma pausa para marchar. Íamos para fora e marchávamos em formação. Ele dava os comandos e nós obedecíamos.

"Um, dois, três, quatro. Um, dois, três, quatro".

No começo, eu não questionava a prática. Não tinha coragem. Ficava intimidado pela presença daquele homem. Finalmente, criei coragem suficiente para perguntar ao garoto ao meu lado por que é que estávamos marchando.

— Por que estamos fazendo isso?

— Eu não sei.

— Aonde estamos indo?

— Eu não sei.

Ninguém sabia. Durante dois anos, nós marchamos duas noites por semana, contudo, ninguém sabia aonde estávamos indo e nem sabia por quê. Simplesmente sabíamos que, se quiséssemos cantar, era melhor manter o passo.

Isto é legalismo.

É rígido. É uniforme. É mecânico — e não é de Deus.

Posso lhe falar dos podres do legalismo?

O legalismo não precisa de Deus. É a busca pela inocência, não pelo perdão. É um processo sistemático de defesa de si mesmo, de explicação de si mesmo, de exaltação de si mesmo e de justificação de si mesmo. Os legalistas são obcecados pelo eu — não por Deus.

O legalismo:

Transforma minha opinião no seu fardo. Só existe espaço para uma opinião no barco. E adivinhe quem está errado!

Transforma minha opinião em sua fronteira. Sua opinião diferente da minha faz com que eu questione não apenas o seu direito de ter comunhão comigo, mas também a sua salvação.

Transforma minha opinião em sua obrigação. Os cristãos devem seguir as regras da companhia. Seu trabalho não é pensar; é marchar.

Se você quer permanecer no grupo, mantenha o passo e não faça perguntas.

Nicodemos sabia como marchar, mas queria cantar. Ele sabia que existia alguma coisa a mais, porém não sabia onde encontrá-la. Então, foi até Jesus.

Foi até lá à noite porque temia o descontentamento de seus colegas. O legalismo coloca dentro de você o medo do homem. Faz com que tenha fome de aprovação. Você fica ansioso para saber o que os outros vão dizer ou pensar, e termina fazendo o que for necessário para agradá-los. A conformidade não é agradável, mas é segura. O uniforme não serve, mas é o modelo escolhido e, então, você o usa. Você não sabe por que está marchando ou aonde está indo — mas quem é você para fazer perguntas? Assim, você mantém o passo e envereda pelo caminho da menor resistência.

Se se atrever a explorar uma outra trilha, deve fazê-lo à noite, tal como Nicodemos fez. Ele se esgueirou pelas sombras e rastejou pelas ruas escuras até que pôde se aprumar na presença de Cristo. Naquela conversa, Nicodemos, o renomado mestre da Lei, fala somente três vezes: uma para elogiar e duas para perguntar. Depois de passar uma vida inteira pesando os títulos das Escrituras na balança da lógica, o estudioso fica repentinamente calado enquanto Jesus abre o portão e a luz da graça invade a catacumba.

Jesus começa revelando a fonte da espiritualidade: "O que é nascido da carne é carne, e o que é nascido do Espírito é espírito" (v. 6).

A vida espiritual não é um empreendimento humano. Ela está enraizada no Espírito Santo e é orquestrada por Ele. Todos os feitos espirituais são criados e mantidos por Deus.

Jesus diz que a espiritualidade vem não da freqüência com que se vai à igreja ou das boas obras ou da doutrina correta, mas do próprio céu. Tais palavras devem ter feito Nicodemos cair de costas. Entretanto, Jesus estava apenas começando.

"O vento assopra onde quer, e ouves a sua voz, mas não sabes donde vem, nem para onde vai; assim é todo aquele que é nascido do Espírito" (v. 8).

Você já viu alguma rajada de vento vindo em seu auxílio? Já viu alguma tempestade de vento parada ao lado da estrada, pegando fôlego? Não, você não viu. O vento não busca nossa ajuda. O vento nem mesmo revela o seu destino. Ele é silencioso e invisível, e assim é o Espírito.

Nesse momento, Nicodemos estava ficando impaciente. Aquela luz era brilhante demais para os seus olhos. Nós, os mestres religiosos, gostamos de controlar e gerenciar. Gostamos de definir e de esboçar. Estrutura e clareza são os amigos do pregador. Mas nem sempre elas são o protocolo de Deus.

O negócio de Deus é a salvação. A graça é idéia dEle, é obra sua e o custo também foi pago por Ele. Deus oferece a graça a quem deseja e quando deseja. Nossa função no processo é informar as pessoas, não fazer uma triagem delas.

A pergunta devia estar estampada no rosto de Nicodemos. Por que Deus faria isso? O que o motivaria a oferecer tal dom? Aquilo que Jesus disse a Nicodemos, ele nunca havia imaginado. A motivação por trás do dom do novo nascimento? Amor. "Porque Deus amou o mundo de tal maneira que deu o seu Filho unigênito, para que todo aquele que nele crê não pereça, mas tenha a vida eterna" (v. 16).

Nicodemos jamais ouvira tais palavras. Nunca. Ele já havia participado de muitas discussões sobre a salvação. No entanto, esta é a primeira na qual nenhuma regra foi estabelecida. Nenhum sistema foi oferecido. Nenhum código nem ritual. "Todo aquele que acreditar pode ter a vida eterna em Deus", disse Jesus a Nicodemos. Será que Deus poderia ser tão generoso? Mesmo na mais escura das noites, o assombro é visto na face de Nicodemos. *Todo aquele que crê tem a vida eterna.* Não "todo aquele que alcança". Não "todo aquele que é bem-sucedido". Não "todo aquele que concorda". Mas "todo aquele que crê".

Veja como Deus liberta do legalismo. Observe a doce firmeza de seu toque. Tal como um experiente fazendeiro, Ele arrancou o solo pedregoso até encontrar um pedaço de terra fértil e úmida, e ali plantou a semente, a semente da graça.

Será que ela deu fruto? Leia o texto a seguir e veja por você mesmo.

> E foi também Nicodemos (aquele que, anteriormente, se dirigira de noite a Jesus), levando quase cem libras de um composto de mirra e aloés. Tomaram, pois, o corpo de Jesus e o envolveram em lençóis com as especiarias, como os judeus costumam fazer na preparação para o sepulcro. E havia um horto naquele lugar onde fora crucificado e, no horto, um sepulcro novo, em que ainda ninguém havia sido posto. Ali, pois (por causa da preparação dos judeus e por estar perto aquele sepulcro), puseram a Jesus.
>
> João 19.39-42

É estranho como um homem pode dar uma guinada completa e entrar no Reino de Deus. Aquele que fora visitar durante a noite, agora aparece durante o dia. Aquele que se arrastou pelas sombras para se encontrar com Jesus, agora vai até a cruz para servi-lo. Aquele que recebeu a semente da graça, agora planta a maior semente de todas: a semente da vida eterna.

14

Graça Galiléia

Quando Você Decepciona a Deus

Depois disso, manifestou-se Jesus outra vez aos discípulos, junto ao mar de Tiberíades; e manifestou-se assim: estavam juntos Simão Pedro, e Tomé, chamado Dídimo, e Natanael, que era de Caná da Galiléia, e os filhos de Zebedeu, e outros dois dos seus discípulos. Disse-lhes Simão Pedro: Vou pescar.

Disseram-lhe eles: Também nós vamos contigo. Foram, e subiram logo para o barco, e naquela noite nada apanharam.

E, sendo já manhã, Jesus se apresentou na praia, mas os discípulos não conheceram que era Jesus. Disse-lhes, pois, Jesus: Filhos, tendes alguma coisa de comer?

Responderam-lhe: Não.

E ele lhes disse: Lançai a rede à direita do barco e achareis. Lançaram-na, pois, e já não a podiam tirar, pela multidão dos peixes.

Então, aquele discípulo a quem Jesus amava disse a Pedro: É o Senhor. E, quando Simão Pedro ouviu que era o Senhor, cingiu-se com a túnica (porque estava nu) e lançou-se ao mar. E os outros discípulos foram com o barco (porque não estavam distantes da terra senão quase duzentos côvados), levando a rede cheia de peixes. Logo que saltaram em terra, viram ali brasas, e um peixe posto em cima, e pão.

Disse-lhes Jesus: Trazei dos peixes que agora apanhastes.

Simão Pedro subiu e puxou a rede para terra, cheia de cento e cinqüenta e três grandes peixes; e, sendo tantos, não se rompeu a rede.

João 21.1-11

"Então, aquele discípulo a quem Jesus amava disse a Pedro: É o Senhor. E, quando Simão Pedro ouviu que era o Senhor, cingiu-se com a túnica (porque estava nu) e lançou-se ao mar."

JOÃO 21.7

O SOL JÁ ESTAVA BRILHANDO na água antes que Pedro percebesse — um círculo ondulado de ouro sobre a superfície do mar. O pescador normalmente é o primeiro a perceber o nascer do sol no topo da colina. Isso significa que sua noite de trabalho finalmente acabou.

No entanto, não foi isso o que aconteceu com aquele pescador. Apesar de a luz estar refletida na superfície do lago, a escuridão ainda estava presente no coração de Pedro. O vento era de causar arrepio, mas Pedro não sentia. Seus amigos dormiam profundamente, mas ele não se importava. A rede a seus pés estava vazia, o mar fora bastante avarento, porém Pedro não estava pensando naquilo.

Seus pensamentos estavam muito longe do mar da Galiléia. Sua mente estava em Jerusalém, revivendo uma noite angustiante. Conforme o barco chacoalhava, suas lembranças voltavam:

O barulho de metal da prisão romana,

O brilho de uma espada e o inclinar de uma cabeça,

Um golpe para Malco e uma repreensão para Pedro,
Soldados levando Jesus embora.

"Onde é que eu estava com a cabeça?", murmurou Pedro para si mesmo, enquanto olhava para o fundo do barco. *Porque é que eu corri?*

Pedro correra. Ele virara as costas para seu melhor amigo e correra. Nós não sabemos para onde. É possível que Pedro também não tenha sabido. Ele encontrou um buraco, uma cabana, um abrigo abandonado — encontrou lugar para se esconder e se escondeu.

Pedro já havia se gabado. "Ainda que todos se escandalizem em ti, eu nunca me escandalizarei" (Mt 26.33). Mas ele se escandalizou. Fez aquilo que jurara que jamais faria. Caiu de cara no poço de seus próprios medos. E ali ficou. Tudo o que ele pôde ouvir era sua promessa vazia. *Ainda que todos se escandalizem... eu nunca me escandalizarei. Nunca. Nunca.* Uma guerra estava sendo travada dentro do coração daquele pescador.

Naquele momento, um instinto de sobrevivência bateu de frente com sua fidelidade a Cristo e, por apenas alguns momentos, a fidelidade venceu. Pedro se levantou e saiu de seu esconderijo, seguindo o barulho até que encontrou um júri iluminado apenas por tochas, reunido no tribunal de Caifás.

Ele parou ao lado de uma fogueira e aqueceu suas mãos. O fogo crepitava com ironia. A noite era fria. O fogo estava quente. Mas Pedro não era nem uma coisa nem outra. Ele estava morno.

"Pedro seguia-o de longe", disse Lucas (Lc 22.54).

Ele era leal... à distância. Naquela noite, ele chegou perto o suficiente para ver, mas não para ser visto. O problema é que Pedro foi visto. Outras pessoas próximas à fogueira reconheceram o pescador. "Você estava com ele", desafiaram as pessoas. "Você estava com o Nazareno". Por três vezes, as pessoas fizeram esta declaração e Pedro as negou todas. E Jesus escutou as três declarações.

Por favor, entenda que o personagem principal do drama da negação não é Pedro, mas Jesus. Jesus, que conhece os corações de todas as pessoas, sabia da negação de seu amigo. Três vezes o sal da negação de Pedro respingou sobre as feridas do Messias.

Como é que eu sei que Jesus sabia? Em razão do que Ele fez: "E, virando-se o Senhor, olhou para Pedro" (Lc 22.61). Quando o galo cantou, Jesus se virou. Seus olhos buscaram Pedro e o encontraram. Naquele momento, não havia soldados, acusadores, nem sacerdotes. Naquele momento, anterior ao amanhecer em Jerusalém, só havia duas pessoas: Jesus e Pedro.

Pedro jamais esqueceria aquele olhar. Embora a face de Jesus já estivesse sangrando por conta dos ferimentos, seus olhos foram firmes e fizeram o foco correto. Eles foram como um bisturi, dissecando o coração de Pedro. Embora o olhar tenha durado apenas um momento, na verdade ele durou para sempre.

Agora, dias depois, no mar da Galiléia, o olhar ainda estava queimando. Não era a ressurreição que ocupava seus pensamentos. Não era a tumba vazia. Não era a derrota da morte. Eram os olhos de Jesus vendo seu fracasso. Pedro os conhecia muito bem. Ele já os vira antes. Na verdade, ele viu aqueles olhos exatamente naquele lago.

Aquela não era a primeira noite que Pedro passava no mar da Galiléia. Além do mais, ele era um pescador. Tal como os outros, trabalhava à noite. Sabia que os peixes vinham se alimentar na superfície durante o frescor da noite e voltavam para as profundezas durante o dia. Não, aquela não era a primeira noite que Pedro passava no mar da Galiléia. Também não era a primeira noite em que ele não pescava nada.

Houve um tempo, muitos anos antes...

Na maior parte das vezes, Pedro e seus amigos vendiam o peixe pela manhã, preparavam suas redes e iam para casa a fim de descansar, levando consigo uma sacola cheia de dinheiro e um sentimento de satisfação. Naquela manhã em particular, não havia dinheiro algum. Não havia satisfação. Eles tinham trabalhado a noite inteira, porém não tinham nada para mostrar, exceto costas doloridas e redes rasgadas.

E, o que era pior, todos estavam vendo. Todas as manhãs, a praia se transformava num mercado, conforme os habitantes do lugar vinham comprar seu peixe. Entretanto, naquela manhã, não havia peixe algum.

Jesus estava lá naquela manhã, ensinando. Em virtude da pressão das pessoas, não havia muito espaço para Jesus e, assim, Ele perguntou a Pedro se poderia usar seu barco como uma plataforma. Pedro concordou, talvez achando que o barco pudesse servir para alguma coisa útil.

Pedro ouviu o Mestre ensinando. É bom ouvir alguma outra coisa além do barulho das ondas do mar. Quando Jesus termina de falar com a multidão, Ele se volta para Pedro. Jesus tinha outro pedido. Ele queria pescar. "Faze-te ao mar alto, e lançai as vossas redes para pescar" (Lc 5.4).

Pedro resmunga. A última coisa que ele queria era pescar. O barco estava limpo. As redes já estavam secas. O sol está alto e ele, cansado. É hora de ir para casa. Além do mais, todos estão olhando. As pessoas já tinham visto Pedro chegar à praia com as mãos vazias uma vez. Como se não bastasse, o que é que Jesus sabe sobre pescaria?

Então, Pedro diz: "Mestre, esforçamo-nos a noite inteira e não pegamos nada" (Lc 5.5 – NVI).

Note o aborrecimento presente em suas palavras.

"Esforçamo-nos". Limpando o casco do barco. Carregando as redes. Puxando os remos. Jogando as redes naquela noite enluarada. Ouvindo o barulho das redes ao tocarem a superfície da água.

"A noite inteira". A cor do céu já tinha mudado do laranja pôr-do-sol para o preto meia-noite e o dourado-amanhecer. As horas haviam se passado tão vagarosamente quanto aquela "esquadrilha" de nuvens diante da lua. O assunto dos pescadores já tinha acabado e seus ombros estavam doloridos. Enquanto o vilarejo dormia, os homens trabalhavam. Durante... a noite... inteira.

"E não pegamos nada". Os eventos naquela noite seguiram uma rotina bem definida: Redes jogadas na direção do céu para que se abrissem e caíssem na água. Então, vinha a espera. Deixe que as redes afundem. Puxe-as de volta. Faça isso outra vez. Jogue. Puxe. Jogue. Puxe. Jogue. Puxe. A cada lançamento, uma oração. Mas cada puxão de rede vazia significava uma falta de resposta. Até a rede suspirava quando os homens a puxavam e se preparavam para jogá-la outra vez.

Eles pescaram por doze horas. E agora... agora Jesus está querendo que eles pesquem um pouco mais? E ainda no alto-mar, em vez de nas águas rasas?

Pedro e seus amigos deram de ombros. Ele olha para as pessoas na praia, todas olhando para ele. Não sabe o que fazer. Jesus pode saber muito sobre muita coisa, porém Pedro sabe bastante sobre pescaria. Sabe quando é hora de trabalhar e quando é hora de parar. Sabe que há um tempo para entrar e outro para sair.

O senso comum dizia que era hora de sair. A lógica dizia para assumir o prejuízo e ir para casa. A experiência dizia para arrumar as coisas e descansar um pouco. Mas Jesus disse: *"Se você quiser, podemos tentar mais uma vez"*.

A jornada mais difícil é aquela que fazemos de volta ao lugar onde fracassamos.

Jesus sabe disso. E é por isso que se dispõe a ir com eles. "Vocês saíram sozinhos da primeira vez; agora, eu vou com vocês. Tentem de novo, pois dessa vez eu estou no barco".

Mesmo relutando bastante, Pedro concorda em tentar mais uma vez. "Mas, porque és tu quem está dizendo isto, vou lançar as redes" (Lc 5.5). Não fazia sentido algum, mas Pedro já havia passado tempo suficiente ao lado do Nazareno para saber que sua presença fazia diferença. Como sucedera no casamento em Caná da Galiléia e com o filho doente daquela figura importante do governo.

Assim, os remos entram na água mais uma vez e os barcos saem da costa. A âncora é lançada e as redes voam outra vez.

Pedro observa as redes afundando na água e espera. Espera até que a rede se estique o tanto que a corda permite. Os pescadores estão calados. Pedro está quieto. Jesus está quieto. De repente, a corda puxa. A rede, pesada em função de tantos peixes, quase puxa Pedro para fora do barco.

"João, Tiago!", grita ele. "Rápido, venham!"

O barco está tão cheio de peixes que a vigia numa das bordas fica muito perto da superfície da água. Com os pés enfiados numa massa prateada que não pára de pular, Pedro olha para Jesus a fim de descobrir se o Mestre está olhando para ele.

É nesse momento que ele percebe quem Jesus é.

Que lugar estranho para se encontrar com Deus — num barco de pesca, num pequeno mar, num país distante! Mas esta é a prática do Deus que vem até o nosso mundo. Este é o encontro experimentado por aqueles que estão dispostos a tentar outra vez... com Ele.

A vida de Pedro nunca mais foi a mesma depois daquela pescaria.

Ele deu suas costas para o mar a fim de seguir o Messias. Deixou os barcos, pensando que nunca mais retornaria a eles. Mas agora está de volta. Ele deu uma volta completa. O mesmo lago. O mesmo barco. Talvez até no mesmo lugar.

Todavia, este não era o mesmo Pedro. Três anos de vida com o Messias foram suficientes para transformá-lo. Ele viu muita coisa. Muitos aleijados andarem, covas vazias, muitas horas ouvindo suas palavras. Ele não é o mesmo Pedro. É a mesma Galiléia, mas o pescador está diferente.

Por que ele voltou? O que o levou de volta à Galiléia, após a crucificação? Desespero? Alguns acham que sim — eu não. É difícil acabar com a esperança de um homem que conheceu a Jesus. Acho que é exatamente isso o que Pedro tinha. Era o que havia levado de volta. Esperança. Uma esperança bizarra de que, no mesmo mar onde ele o havia encontrado pela primeira vez, poderia encontrá-lo de novo.

Assim, Pedro estava no barco, no mar. Mais uma vez ele pescou a noite inteira. Mais uma vez o mar não lhe entregou nada.

Seus pensamentos são interrompidos por um grito na costa.

— Pegou algum peixe?

Pedro e João olham para lá. Provavelmente é um dos habitantes da vila.

— Não! — eles gritam.

— Tente do outro lado! — grita aquela voz de volta.

João olha para Pedro. O que temos a perder? Assim, jogam a rede. Pedro enrola a corda em seu pulso e espera.

Porém não há espera. Ele coloca seu peso contra a borda do barco e começa a puxar a rede para dentro. Puxa a corda, estica o braço. Puxa a corda, estica o braço. Está tão entretido com a tarefa que não percebe a mensagem.

Mas João não. Aquilo é um *déjà vu*. Aquilo já aconteceu antes. A longa noite. A rede vazia. O pedido para jogar de novo. Peixinhos pulando no chão do barco. Espere um minuto. Ele levanta seus olhos na direção do homem que está na costa. "É Ele", sussurra.

Então, fala mais alto: "É Jesus".

Nesse momento, já começa a gritar: "É o Senhor, Pedro. É o Senhor!"

Pedro se vira e olha. Jesus voltou. Não apenas o Jesus Mestre, mas o Jesus que derrotou a morte, o Jesus Rei... Jesus, o que venceu as trevas. Jesus, o Deus dos céus e da terra está na costa... e está acendendo uma fogueira.

Pedro se atira na água e vai nadando até a praia. Sai da água tropeçando, molhado, arrepiado diante do amigo a quem tinha traído. Jesus havia preparado algumas brasas. Ambos se lembravam da última vez em que Pedro estivera perto de uma fogueira. Pedro traíra a Deus, mas Deus viera até ele.

Em uma das poucas ocasiões em que isso aconteceu em sua vida, Pedro fica calado. Que palavras poderiam ser ditas naquele momento? A ocasião é santa demais para palavras. Deus está oferecendo um café da manhã para o amigo que o traiu. E, mais uma vez, Pedro está recebendo graça na Galiléia.

O que se poderia dizer num momento como esse?

O que *você* diria num momento como esse?

É só você e Deus. Você e Deus sabem o que você fez. E nenhum dos dois tem orgulho disso. O que você faz?

Talvez faça aquilo que Pedro fez. Coloque-se na presença de Deus. Fique de pé à sua vista. Fique calado e espere. Há momentos em que isso é a única coisa que uma alma pode fazer. Arrependido demais para falar, mas esperançoso demais para partir — você simplesmente fica ali.

Maravilhado.

Ele voltou.

Ele o convida a tentar mais uma vez. Desta vez, com Ele.

15

A Ternura de Deus

Quando Você se Pergunta se Deus se Importa

E, ao terceiro dia, fizeram-se umas bodas em Caná da Galiléia; e estava ali a mãe de Jesus. E foram também convidados Jesus e os seus discípulos para as bodas. E, faltando o vinho, a mãe de Jesus lhe disse: Não tem vinho.

Disse-lhe Jesus: Mulher, que tenho eu contigo? Ainda não é chegada a minha hora.

Sua mãe disse aos empregados: Fazei tudo quanto ele vos disser.

E estavam ali postas seis talhas de pedra, para as purificações dos judeus, e em cada uma cabiam duas ou três metretas.

Disse-lhes Jesus: Enchei de água essas talhas. E encheram-nas até em cima.

Disse-lhes: Tirai agora e levai ao mestre-sala. E levaram.

E, logo que o mestre-sala provou a água feita vinho (não sabendo de onde viera, se bem que o sabiam os empregados que tinham tirado a água), chamou o mestre-sala ao esposo. E disse-lhe: Todo homem põe primeiro o vinho bom e, quando já tem bebido bem, então, o inferior; mas tu guardaste até agora o bom vinho.

Jesus principiou assim os seus sinais em Caná da Galiléia e manifestou a sua glória, e os seus discípulos creram nele.

João 2.1-11

"Todo homem põe primeiro o vinho bom e,
quando já tem bebido bem, então, o inferior;
mas tu guardaste até agora o bom vinho."

JOÃO 2.10

VAMOS FAZER DE CONTA QUE você é um anjo. (Para alguns de vocês, isso pode ser bem difícil de imaginar, mas vamos tentar!)

Você é um anjo da era anterior à chegada do Messias. Deus ainda não veio à terra, mas logo virá e é aí que você entra em cena. Você é informado de que recebeu uma missão especial. Uma oportunidade única na eternidade. Estão lhe pedindo para que sirva no comitê especial. Que grande honra, não acha?

Miguel dá posse à força-tarefa celestial.

— Vamos começar escolhendo qual será o primeiro milagre — afirma ele. — O primeiro milagre é crucial. É a proclamação de lançamento. É a demonstração de vanguarda. Deve ser escolhido cuidadosamente.

— Deve ser poderoso — afirma um voluntário.

— Inegável.

— Inesquecível — diz um outro.

— Que bom que estamos todos de acordo — afirma Miguel. — O primeiro milagre de Deus na terra deve ser de arrasar. Alguma sugestão?

A criatividade angelical começa a funcionar.

— Vamos deixar que Ele ressuscite uma pessoa.

— Ou um cemitério inteiro!

— Sim, vamos deixar o lugar vazio.

— Que tal dar uma refeição a todas as pessoas famintas do mundo?

— Esse é fácil demais. Que tal remover todas as doenças do planeta?

— Puxa, gostei dessa idéia.

— Eu sei — diz você. Todos os outros anjos se voltam para olhá-lo. — E se Ele se livrasse de todo o mal que há na terra? O que eu quero dizer é algo assim: num único movimento, todo o mal se vai e só resta aquilo que é bom.

O grupo fica em silêncio.

— Nada mal — diz alguém.

— Boa idéia — fala um outro anjo.

— Fazer isso de uma vez por todas — concorda Miguel. — Está definido. O primeiro milagre será a eliminação do mal na terra!

Asas se agitam em aprovação e você sorri com orgulho. (Você pode receber uma promoção por causa disso.)

— Agora, vamos prosseguir e pensar no segundo milagre...

Parece muito improvável? Talvez, mas a história não está totalmente destituída de verdade.

O fato é que Jesus realmente tinha um plano. Você pode descobrir isso a partir de algumas frases que Ele disse.

"Ainda não é chegado o meu tempo" (Jo 7.6).

"É chegada a hora em que o Filho do Homem há de ser glorificado" (Jo 12.23).

"O meu tempo está próximo" (Mt 26.18).

"Basta; é chegada a hora. Eis que o Filho do Homem vai ser entregue nas mãos dos pecadores" (Mc 14.41).

"Levantando os olhos ao céu, disse: Pai, é chegada a hora..." (Jo 17.1)

Dê uma olhada nessas frases. "Ainda não é chegado o meu tempo". "É chegada a hora". "O meu tempo está próximo". O que está por trás dessas frases? Uma agenda. Elas representam uma ordem definida dos eventos. A missão de Cristo estava planejada. Duvido que um comitê possa ter existido, porém um plano certamente foi elaborado.

Existe uma outra ponta de verdade na minha história. Não apenas existiu um plano para o ministério de Cristo, mas também houve um primeiro milagre. Que milagre foi este?

O plano é simples demais. Jesus e seus discípulos estão numa festa de casamento. O anfitrião fica sem vinho. Todas as lojas estão fechadas e, assim, Jesus, a pedido de sua mãe, transforma seis jarras de água em seis garrafões de vinho.

É isso. É a jogada do artilheiro. Bem simples, você não acha? Certamente não tem o impacto de chamar uma pessoa dos mortos ou a originalidade de fortalecer uma perna atrofiada.

Ou será que tem? Talvez existam mais coisas por trás disso do que imaginamos.

Você sabe que um casamento nos dias de Cristo não era um evento qualquer. Normalmente começava com uma cerimônia no final da tarde, na sinagoga. As pessoas saíam da sinagoga e começavam uma longa procissão à luz de velas por toda a cidade, abrindo caminho pela tênue luz do sol que se punha, por entre as ruas da cidade. O casal era levado por um caminho que passasse pelo maior número de casas possível, de modo que todos pudessem lhes desejar felicidades. Depois da procissão, porém, o casal não ia para uma lua-de-mel; a lua-de-mel lhes era trazida.

Eles iam para casa a fim de dar a festa. Por vários dias havia entrega de presentes, discursos, comes e bebes, e — adivinhe só! — todos bebiam vinho. Comida e bebida eram levadas muito a sério. O anfitrião honrava os convidados mantendo seus pratos cheios e seus copos transbordando. Era considerado um insulto aos convidados se o anfitrião ficasse sem comida ou vinho.

A hospitalidade durante a festa de casamento era uma tarefa sagrada. Esses costumes sociais eram tão sérios que, se eles não fossem observados, processos legais poderiam ser movidos pelas partes prejudicadas!

"Sem vinho", diziam os rabis, "não há alegria". O vinho era importantíssimo, não para a bebedeira, que era considerada uma desgraça, mas por aquilo que ele demonstrava. A presença do vinho declarava que aquele era um dia especial e que todos os convidados eram especiais.

Portanto, a falta de vinho era um embaraço social.

Maria, a mãe de Jesus, é uma das primeiras a notar que o vinho tinha acabado. Ela chega perto de seu filho e relata o problema: "Eles não têm mais vinho" (v. 3 – ARA).

A resposta de Jesus? "Mulher, que tenho eu contigo? Ainda não é chegada a minha hora" (v. 4).

Aí estão aquelas palavras de novo. "Minha hora". Jesus está ciente do plano. Ele tem um lugar e um momento para executar seu primeiro milagre. E aquela não era a hora.

Nesse instante, o Comitê Angelical de Milagres do Messias dá um suspiro coletivo de alívio.

— Uau, por um minuto, pensei que Ele estragaria tudo.

— Eu também. Você pode imaginar Jesus inaugurando seu ministério com um milagre de transformar água em vinho?

— É isso aí, Jesus, diga não. Siga o plano!

Jesus sabe qual é o plano. Num primeiro momento, parece que vai cumpri-lo à risca. Entretanto, quando olha para sua mãe e para o rosto do anfitrião, Ele reconsidera. A importância do plano é vagarosamente eclipsada por sua preocupação pelas pessoas. O momento certo é importante, mas as pessoas são mais importantes ainda.

Como resultado, Jesus muda seu plano para satisfazer as necessidades de alguns amigos. Incrível. A agenda do céu é alterada para que alguns amigos não fiquem numa situação ruim perante a sociedade. O primeiro milagre é motivado não por uma tragédia, pela fome, ou pela depravação moral, mas pela preocupação com amigos que estão em apuros.

Agora, se você fosse um dos anjos do comitê de milagres messiânicos, você não gostaria disso nem um pouquinho. Não senhor. Você não gosta deste passo dado por Jesus. Todas as coisas relacionadas a isso estão erradas. Hora errada. Lugar errado. Milagre errado.

— Vamos lá, Jesus. Lembre-se da agenda — diz você. — Lembre-se da estratégia. Esse não é o modo como havíamos planejado.

Não. Se você é um anjo do comitê, você não gosta deste passo.

Todavia, se você é um anjo que já passou por algum tipo de embaraço, então você gosta muito dessa idéia. Por quê? Porque esse milagre diz que o que lhe importa é importante para Deus.

Você provavelmente acha que isso é verdade no que se refere às coisas realmente grandes. Quando a questão é um assunto de primeira grandeza como morte, doença, pecado e desastre, você sabe que Deus se importa.

Mas, e o que dizer sobre as coisas menores? O que dizer de chefes mal-humorados, pneus furados ou cachorros perdidos? E quanto à louça quebrada, os vôos atrasados, uma dor de dente ou um defeito no disco rígido do computador? Será que isso é importante para Deus?

O que estou querendo dizer é que Ele tem o universo inteiro para cuidar. Precisa manter os planetas equilibrados e ficar de olho nos presidentes e reis. Deus tem guerras para se preocupar e escassez de alimento para eliminar. Quem sou eu para falar com Ele sobre a minha unha encravada?

Fico feliz por você ter perguntado. Deixe-me falar um pouquinho sobre quem você é. Na verdade, deixe-me *proclamar* quem você é.

Você é herdeiro de Deus e co-herdeiro de Cristo (Rm 8.17).

Você é eterno como um anjo (Lc 20.36).

Você tem uma coroa que vai durar para sempre (1 Co 9.25).

Você é um sacerdote santo (1 Pe 2.5) e uma propriedade valiosa (Êx 19.5).

Você foi escolhido antes da fundação do mundo (Ef 1.4). Foi destinado "para louvor, e para fama, e para glória, e para que sejas um povo santo ao Senhor, teu Deus" (Dt 26.19).

Porém mais do que qualquer uma das coisas ditas acima — mais significante do que qualquer título ou posição — é o simples fato de que você é um filho de Deus. "Vejam como é grande o amor que o Pai nos concedeu: sermos chamados filhos de Deus, o que de fato somos!" (1 Jo 3.1 – NVI)

Adoro esta última frase! "O que de fato somos!" É como se João soubesse que alguns de nós estão balançando a cabeça e dizendo: "Não, eu não. Martin Luther King, talvez. Billy Graham, tudo bem. Mas não eu". Se esses são seus sentimentos, João adicionou esta frase especialmente para você: "*De fato* somos [filhos de Deus]".

Portanto, se alguma coisa é importante para você, é importante para Deus também.

Se você é pai, então sabe disso. Imagine se percebe uma ferida infeccionada na mão do seu filho de cinco anos. Você lhe pergunta o que aconteceu e ele diz que uma lasca de madeira entrou na sua pele. Você, então, pergunta quando aquilo ocorreu e ele responde que foi na semana passada. Você lhe pergunta por que não disse nada e ele responde:

— Eu não queria perturbar você. Eu sabia que você tinha todas aquelas coisas para fazer, como cuidar da casa e tudo o mais, e eu não queria atrapalhar o seu trabalho.

— Atrapalhar o meu trabalho? — você diz. — Por favor, atrapalhe! Eu sou seu pai. Você é meu filho. Meu trabalho é ajudar você. Eu fico triste quando você se fere.

Tenho um perfeito exemplo disso gravado numa fita de vídeo. Minha filha de oito anos, Jenna, ia cantar uma música num jantar de agradecimento. Concordei em ficar em casa com minhas outras duas filhas, se minha esposa pudesse filmar a sua apresentação. Quando elas chegaram, tinham uma tremenda história para contar e uma bela fita para mostrar.

Jenna esqueceu a letra. Enquanto estava no palco, diante de uma enorme platéia, sua mente deu um branco. Como Denalyn estava filmando o evento, pude ver o desespero através de seus olhos, os olhos de uma mãe. Você consegue perceber o exato momento em que Denalyn está ficando nervosa, pois a câmera começa a tremer. "Tudo bem, tudo bem", diz a voz de Denalyn. Ela começa a cantar as palavras de modo que Jenna possa se lembrar. Mas é tarde demais. Jenna diz "sinto muito" para a audiência, explode em lágrimas e sai do palco como um relâmpago.

Nesse momento, mamãe deixa a câmera cair e corre atrás de Jenna. A câmera filma o chão e grava a voz de Denalyn dizendo: "Vem cá, querida".

Por que Denalyn fez aquilo? Por que ela deixou tudo e foi correndo atrás de sua filha? (A propósito, Jenna se recuperou. Denalyn enxugou suas lágrimas. As duas ensaiaram um pouco mais para relembrar a letra e Jenna cantou e recebeu uma imensa salva de palmas.)

Agora, por que Denalyn passou por tudo aquilo? No grande esquema de todas as coisas, será que um embaraço social é tão importante assim? Você sabe a resposta antes que eu lhe diga. Para uma menina de oito anos, isto é fundamental. Como era muito importante para Jenna, também era importante para a mamãe.

E porque você é filho de Deus, se é importante para você, é importante para Deus.

Por que Jesus transformou água em vinho? Para impressionar a multidão? Não, eles nem sequer ficaram sabendo quem fez aquilo. Para obter a atenção do mestre-de-cerimônias? Não, ele achava que os noivos estavam sendo generosos. Por que Jesus fez aquilo? O que motivou seu primeiro milagre?

Seus amigos estavam em dificuldades. O que perturbava os amigos, perturbava a Jesus. Se alguma coisa machuca o filho, também machuca o pai.

Portanto, vá em frente. Diga a Deus aquilo que está machucado. Converse com Ele. Ele não vai dar as costas. Ele não vai achar que é uma tolice. "Porque *não temos um sumo sacerdote que não possa compadecer-se* das nossas fraquezas; porém um que, como nós, em tudo foi tentado, mas sem pecado. Cheguemos, pois, com confiança ao trono da graça" (Hb 4.15,16, ênfase do autor).

Deus se importa com as pequenas coisas em nossas vidas? Pode apostar que sim.

Se é importante para você, também é importante para Ele.

16

O Louco que Virou Missionário

Quando Você se Vê diante do Mal

E chegaram à outra margem do mar, à província dos gadarenos. E, saindo ele do barco, lhe saiu logo ao seu encontro, dos sepulcros, um homem com espírito imundo, o qual tinha a sua morada nos sepulcros, e nem ainda com cadeias o podia alguém prender. Porque, tendo sido muitas vezes preso com grilhões e cadeias, as cadeias foram por ele feitas em pedaços, e os grilhões, em migalhas, e ninguém o podia amansar. E andava sempre, de dia e de noite, clamando pelos montes e pelos sepulcros e ferindo-se com pedras. E, quando viu Jesus ao longe, correu e adorou-o.

E, clamando com grande voz, disse: Que tenho eu contigo, Jesus, Filho do Deus Altíssimo? Conjuro-te por Deus que não me atormentes. (Porque lhe dizia: Sai deste homem, espírito imundo.)

E perguntou-lhe: Qual é o teu nome?

E lhe respondeu, dizendo: Legião é o meu nome, porque somos muitos.

E rogava-lhe muito que os não enviasse para fora daquela província.

E andava ali pastando no monte uma grande manada de porcos. E todos aqueles demônios lhe rogaram, dizendo: Manda-nos para aqueles porcos, para que entremos neles. E Jesus logo lho permitiu. E, saindo aqueles espíritos imundos, entraram nos porcos; e a manada se precipitou por um despenhadeiro no mar (eram quase dois mil) e afogou-se no mar.

E os que apascentavam os porcos fugiram e o anunciaram na cidade e nos campos; e saíram muitos a ver o que era aquilo que tinha acontecido. E foram ter com Jesus, e viram o endemoninhado, o que tivera a legião, assentado, vestido e em perfeito juízo, e temeram. E os que aquilo tinham visto contaram-lhes o que acontecera ao endemoninhado e acerca dos porcos. E começaram a rogar-lhe que saísse do seu território.

E, entrando ele no barco, rogava-lhe o que fora endemoninhado que o deixasse estar com ele.

Jesus, porém, não lho permitiu, mas disse-lhe: Vai para tua casa, para os teus, e anuncia-lhes quão grandes coisas o Senhor te fez e como teve misericórdia de ti. E ele foi e começou a anunciar em Decápolis quão grandes coisas Jesus lhe fizera; e todos se maravilhavam.

MARCOS 5.1-20

"E foram ter com Jesus, e viram o endemoninhado,
o que tivera a legião, assentado, vestido
e em perfeito juízo, e temeram."

MARCOS 5.15

SE VOCÊ GOSTA DE COLECIONAR perguntas para usar em maratonas na igreja, tenho uma boa para você. Quem foi o primeiro missionário que Jesus enviou?

Alguém bem treinado, certo? Alguém que tinha um relacionamento íntimo com Cristo. Um seguidor devotado. Um discípulo próximo. Uma pessoa com pleno conhecimento das Escrituras e com espírito de sacrifício. Não era isso o que você iria pensar?

Deixe-me dar uma dica. Se você quiser encontrá-lo, não vá até a Grande Comissão. Não procure entre os doze apóstolos. Este porta-voz vanguardista não estava naquela lista.

E quanto aos 72 discípulos que foram enviados por Cristo? Desculpe, errou de novo. Será que está nas epístolas? Não. Muito antes de Paulo pegar uma pena para escrever, este pregador já estava trabalhando.

Aonde Jesus foi para encontrar este primeiro missionário? Você não vai acreditar, mas Ele foi ao cemitério.

Quem foi o primeiro embaixador que Cristo comissionou? Você também vai achar muito estranho, mas foi um lunático. O homem que Jesus enviou era um louco que se transformara num missionário. Sua história pode ser encontrada no quinto capítulo do Evangelho de Marcos.

> E, saindo ele do barco, lhe saiu logo ao seu encontro, dos sepulcros, um homem com espírito imundo, o qual tinha a sua morada nos sepulcros, e nem ainda com cadeias o podia alguém prender. Porque, tendo sido muitas vezes preso com grilhões e cadeias, as cadeias foram por ele feitas em pedaços, e os grilhões, em migalhas, e ninguém o podia amansar. E andava sempre, de dia e de noite, clamando pelos montes e pelos sepulcros e ferindo-se com pedras.
>
> Marcos 5.2-5

Ele é aquele homem que sua mãe disse para você ficar longe dele. É o elemento que o policial fica sempre de olho. É o maníaco que amedronta a vizinhança e assassina famílias. É o rosto que aparece no noticiário policial.

Este é o primeiro missionário da Igreja.

Os palestinos não sabiam o que fazer com ele. Eles o prendiam, mas o homem quebrava as correntes. Ele rasgava suas próprias roupas. Vivia em cavernas. Cortava-se nas rochas. Era um coiote raivoso que estava solto, uma ameaça à sociedade. Não prestava para nada. Ninguém tinha um lugar para ele — exceto Jesus.

Até mesmo hoje em dia, o que a medicina moderna poderia oferecer a tal homem é medicação e tratamento longo. Talvez, com muito tempo, muitos gastos e muita ajuda profissional, tal comportamento destrutivo pudesse ser transformado. Porém isso levaria anos.

Com Jesus, levou apenas alguns segundos.

O encontro é explosivo. O barco dos discípulos pára perto de um cemitério e de uma manada de porcos. Ambos são impuros para os judeus quanto aos aspectos rituais e culturais. Quando Jesus desce do barco, um homem louco sai correndo de uma caverna.

Cabelo desgrenhado. Pulsos manchados de sangue. Pele arranhada. Fúria em forma de homem. Um louco despido. Braços se agitando e voz descontrolada. Os discípulos ficaram atônitos, engoliram em seco e deram um passo para trás, voltando para dentro do barco.

Eles estavam horrorizados. Jesus não estava. Leia os próximos versículos com cuidado, pois eles nos dão um raro privilégio — um vislumbre de uma batalha invisível. Por apenas alguns minutos, o conflito invisível se torna visível e somos colocados numa posição privilegiada para olhar o campo de batalha.

"E, clamando com grande voz, disse: Que tenho eu contigo, Jesus, Filho do Deus Altíssimo?" (v. 7)

"Porque lhe dizia: Sai deste homem, espírito imundo" (v. 8).

Jesus quer o homem de volta. Os demônios não representam nenhum desafio. Não são uma ameaça. Eles já tinham ouvido aquela voz antes. Quando Deus ordena, os demônios só têm uma saída: eles suplicam. "E rogava-lhe muito que os não enviasse para fora daquela província" (v. 10).

A mera aparição de Jesus aterroriza os demônios. Embora estivessem dominando aquele homem, os demônios se acovardavam diante de Deus. Embora tivessem espalhado medo por uma região, eles lhe imploravam misericórdia. A palavra do Mestre os reduz a vermes rastejantes.

Sentindo-se mais seguros numa manada de porcos do que na presença de Deus, os demônios pedem para que sejam enviados aos suínos. Jesus consente e 2 mil porcos possessos se atiram ao mar.

Durante todo este episódio, os discípulos não fazem nada. Enquanto Jesus luta, os seguidores olham. Eles não sabem o que fazer.

Você se identifica com eles? Você está olhando para um mundo fora de controle e não sabe o que fazer? Se é assim, faça o que os discípulos fizeram: quando a luta é feroz, fique para trás e deixe que o Pai lute.

Em meu arquivo mental, tenho uma imagem que ilustra bem esse princípio. Nesta cena, meu pai e eu estamos batalhando contra uma tempestade num barco de pesca. Estamos cercados por uma cadeia de montanhas com picos brancos, muito mais altos que nós. A costa está oculta, a tempestade está piorando e estamos honestamente começando a pensar se vamos conseguir voltar à praia.

Eu sou jovem, talvez com uns nove anos. O barco é pequeno, tendo talvez uns 3 metros de comprimento. As ondas são altas, suficientes para virar nossa embarcação. Os céus estão roncando, as nuvens formam vagalhões e há relâmpagos cruzando o firmamento.

Papai direciona o barco rumo à praia mais próxima, virando-o na direção das ondas. Ele se assenta na parte de trás, com uma das mãos no afogador e o rosto virado para o vento. Eu me assento na parte da frente do barco, olhando para trás, na direção dele. A chuva castiga o meu pescoço e ensopa a minha camisa. Uma onda atrás da outra nos joga para cima e faz com que caiamos abruptamente. Eu seguro as duas bordas do barco e tento me manter firme.

Em vão, procuro a costa. É inútil, pois ela está oculta pela borrasca. Procuro o sol... Ele está escondido pelas nuvens. Procuro por outros barcos... vejo somente ondas. Tudo o que vejo me assusta. Só existe uma visão que me dá alento: a face de meu pai. Molhado pela chuva, com as feições transformadas, ele olha para a tempestade. A água cai da aba de seu boné e sua camisa está grudada à sua pele.

Naquele exato momento, eu tomo uma decisão. Paro de olhar para a tempestade e fico olhando apenas para papai. Aquilo fazia sentido. Olhar para as ondas me trazia medo; olhar para meu pai me deixava calmo. Então, concentrei meu olhar nele. Tão intenso era o meu olhar que, três décadas depois, eu ainda posso vê-lo nos guiando em meio àqueles vagalhões.

Deus quer que façamos o mesmo. Ele quer que concentremos nossos olhos nEle. Que proveito há em colocar nossa atenção na tempestade? Por que estudar o inimigo? Nós não vamos derrotá-lo. Somente Deus o fará. Os discípulos não podem destruir Satanás; somente Deus pode.

E foi exatamente isso que Jesus fez.

Enquanto os discípulos olhavam atônitos, Jesus entra em ação e Deus liberta um lunático. Os porcos são possuídos pelos demônios. Um discípulo é forjado naquele cemitério.

História peculiar? Espere um pouco. Ela ainda não acabou. Se você acha que a reação dos demônios foi bizarra, espere até ouvir a resposta das pessoas.

Os criadores de porcos correm para a cidade e dizem a todos o que viram.

Então, as pessoas saem para ver com seus próprios olhos.

> E foram ter com Jesus, e viram o endemoninhado, o que tivera a legião, assentado, vestido e em perfeito juízo, e temeram. E os que aquilo tinham visto contaram-lhes o que acontecera ao endemoninhado e acerca dos porcos. E começaram a rogar-lhe que saísse do seu território.
>
> Marcos 5.15-17

Eles fizeram o quê? *As pessoas começaram a pedir que Jesus saísse de sua região.*

Você quer dizer que as pessoas pediram a Jesus que fosse embora? É isso mesmo. Em vez de agradecer-lhe, elas o desprezaram? Você entendeu certo. O que faria com que as pessoas fizessem tal coisa?

Boa pergunta. O que faria com que as pessoas preferissem porcos e lunáticos a terem a presença de Deus?

Ou melhor...

O que faz com que um alcoólatra prefira a miséria da embriaguez à sobriedade?

O que faz com que a igreja prefira permanecer inativa a passar por um reavivamento?

O que faz com que uma nação prefira a escravidão à liberdade?

O que faz com que as pessoas prefiram as tradições de ontem à vida de hoje com Deus?

A resposta? Medo de mudança. Mudança é coisa trabalhosa. É mais fácil seguir o mesmo velho caminho do que se enveredar por um território desconhecido.

Assim, as pessoas dispensaram a Jesus. Uma vez que Jesus não vai aos lugares onde não é convidado, Ele volta para o barco.

Agora, veja o que acontece a seguir.

> E, entrando ele no barco, rogava-lhe o que fora endemoninhado que o deixasse estar com ele. Jesus, porém, não lho permitiu.
>
> Marcos 5.18,19

Maneira esquisita de tratar um novo crente, você não acha? Por que Jesus não levaria aquele rapaz consigo? Simples. Ele tinha maiores planos para ele. "Vai para tua casa, para os teus, e anuncia-lhes quão grandes coisas o Senhor te fez e como teve misericórdia de ti" (v. 19).

Aqui está. O comissionamento do primeiro missionário. Num minuto, louco; no próximo, em Cristo. Sem treinamento. Sem ensinamento. Tudo o que ele sabia é que Jesus podia assustar o próprio inferno e, aparentemente, isto era suficiente.

Porém, muito mais surpreendente do que o homem que foi enviado, é o fato de que uma pessoa *foi enviada*. Eu não teria mandado um missionário para o mesmo povo que tivesse me dado um pontapé no traseiro. Você mandaria? Uma praga, talvez; mas um missionário, não. Entretanto, Cristo fez isso.

E Cristo ainda faz. Ele ainda manda a mensagem para aqueles que são indignos dela. Ele ainda usa os execrados como mensageiros.

Além do mais, dê uma olhada em quem está lendo este livro.

E veja só quem o escreveu.

17

Vendo o Invisível

Quando Você Tem Medo do Futuro

E, passando Jesus outra vez num barco para o outro lado, ajuntou-se a ele uma grande multidão; e ele estava junto do mar. E eis que chegou um dos principais da sinagoga, por nome Jairo, e, vendo-o, prostrou-se aos seus pés e rogava-lhe muito, dizendo: Minha filha está moribunda; rogo-te que venhas e lhe imponhas as mãos para que sare e viva. E foi com ele...

Estando ele ainda falando, chegaram alguns do principal da sinagoga, a quem disseram: A tua filha está morta; para que enfadas mais o Mestre?

E Jesus, tendo ouvido essas palavras, disse ao principal da sinagoga: Não temas, crê somente.

E não permitiu que alguém o seguisse, a não ser Pedro, e Tiago, e João, irmão de Tiago. E, tendo chegado à casa do principal da sinagoga, viu o alvoroço e os que choravam muito e pranteavam. E, entrando, disse-lhes: Por que vos alvoroçais e chorais? A menina não está morta, mas dorme. E riam-se dele; porém ele, tendo-os feito sair, tomou consigo o pai e a mãe da menina e os que com ele estavam e entrou onde a menina estava deitada. E, tomando a mão da menina, disse-lhe: Talitá cumi, que, traduzido, é: Menina, a ti te digo: levanta-te. E logo a menina se levantou e andava, pois já tinha doze anos; e assombraram-se com grande espanto. E mandou-lhes expressamente que ninguém o soubesse; e disse que lhe dessem de comer.

MARCOS 5.21-24; 35-43

"Ora, a fé é o firme fundamento das coisas que se esperam e a prova das coisas que se não vêem."

HEBREUS 11.1

ONTEM À NOITE eu estava tentando ensinar minhas filhas a verem com os olhos fechados.

Pedi a Jenna, minha filha de oito anos, para ir a um lado da sala de estar. No outro lado, estava Andrea, de seis anos. Eu e Sara, com três anos, nos assentamos num sofá no meio da sala e assistimos. A missão de Jenna era fechar os olhos e caminhar. A missão de Andrea era ser os olhos de Jenna e conduzi-la em segurança pela sala usando apenas sua voz.

Usando frases do tipo "dê dois passos de bebê para a esquerda" ou "dê quatro passos de gigante para frente", Andrea conseguiu fazer sua irmã navegar pelo ameaçador labirinto de cadeiras, um aspirador de pó e um cesto de roupa suja.

Então, foi a vez de Jenna. Ela guiou Andrea por um caminho que passava perto do abajur favorito de mamãe e gritou no exato momento para que evitasse uma colisão com a parede, quando pensou que seu pé direito era seu pé esquerdo.

Depois de várias incursões pela escuridão, elas pararam e nós conversamos.

— Não gostei dessa brincadeira — reclamou Jenna. — É assustador ir aonde você não pode ver.

— Eu achava que ia cair — concordou Andrea. — Fiquei dando pequenos passos para ter segurança.

Eu concordo com elas; e você? Nós, os adultos, também não gostamos da escuridão. Mas andamos nela. Tal como Jenna, nós freqüentemente reclamamos sobre como é assustador caminhar por onde não podemos ver. Tal como Andrea, nós damos passos tímidos para não cair.

Nós temos razões para sermos cautelosos. Somos cegos. Não podemos ver o futuro. Não temos absolutamente nenhuma visão além do presente. Eu não posso lhe dizer com certeza que vou viver tempo suficiente para terminar esta sentença. (Uau, consegui!) Você também não pode me dizer se vai viver o suficiente para ler o que está escrito a seguir. (Espero que consiga!)

Não estou falando de vista curta ou de miopia; estou falando da mais completa cegueira. Não estou falando de uma condição que desaparece com a infância; estou descrevendo uma condição que só acaba quando morremos. Somos cegos. Cegos com relação ao futuro.

Esta é uma limitação da qual todos nós compartilhamos. O rico é tão cego quanto o pobre. O instruído tem a visão tão curta quanto a do analfabeto. Os famosos sabem tão pouco do futuro quanto os desconhecidos.

Nenhum de nós sabe o que será de nossos filhos. Nenhum de nós sabe o dia em que vai morrer. Ninguém sabe com quem vai se casar ou até mesmo se existe um casamento em seu futuro. Somos universal, absoluta e imutavelmente cegos.

Todos nós somos como Jenna com seus olhos fechados, andando às apalpadelas numa sala escura, ouvindo uma voz familiar — mas com uma diferença. Os arredores são familiares e amigáveis. Os nossos podem ser hostis e fatais. Seu maior medo era bater com o dedo do pé em alguma coisa. Nosso maior temor é muito mais ameaçador: câncer, divórcio, solidão, morte.

E, por mais que tentemos andar em linha reta, existem grandes chances de batermos o dedo em algum lugar e nos machucarmos.

Pergunte a Jairo. Ele é um homem que tentara caminhar o mais reto que podia. Entretanto, era um homem cujo caminho sofrera uma virada brusca, rumo a uma caverna — uma caverna escura. E ele não quer entrar ali sozinho.

Jairo é o líder da sinagoga. Isso pode não parecer muita coisa para mim e para você, porém, nos dias de Cristo, o líder da sinagoga era o homem mais importante de sua comunidade. A sinagoga era o centro da religião, da educação, da liderança e da atividade social. O líder da sinagoga era um líder experimentado, o professor do topo da lista, o prefeito, o cidadão mais conhecido, tudo isso numa única pessoa.

Jairo tinha tudo. Segurança no emprego. Boas-vindas garantidas no restaurante. Um plano de pensão vitalícia. Jogava golfe todas as quintas-feiras, e tinha uma viagem anual para a convenção nacional com todas as despesas pagas.

Quem poderia pedir mais que isso? Todavia Jairo pede. Ele *tem* de pedir. Na verdade, ele trocaria todo seu pacote de benefícios e privilégios por apenas uma certeza: a de que sua filha viveria.

O Jairo que vemos nessa história não é o líder cívico de grande visão, vestido de preto, com roupas caras. Em vez disso, é um homem cego implorando por um presente. Ele caiu aos pés de Jesus dizendo: "Minha filha está moribunda; rogo-te que venhas e lhe imponhas as mãos para que sare e viva" (Mc 5.23).

Ele não negocia com Jesus. ("Você me faz um favor e eu farei com que você não tenha mais nenhum problema na vida.") Ele não chantageia Jesus. ("Olha, aqueles caras em Jerusalém estão ficando irritados com as coisas que você anda fazendo. Deixe-me fazer uma proposta. Você cuida desse meu problema e eu vou dar alguns telefonemas...") Ele não dá desculpas. ("Normalmente não fico assim desesperado, Jesus, mas tenho um pequeno problema.")

Ele simplesmente implora.

Há momentos na vida em que a única coisa que você tem a oferecer não é nada comparado àquilo que você está pedindo. Jairo está neste ponto. O que um homem poderia oferecer em troca da vida de sua filha? Portanto, não há jogos. Não há regateio. Não há máscaras. A situação é muito simples: Jairo está cego com relação ao futuro e Jesus conhece o futuro. Assim, Jairo pede sua ajuda.

Como Jesus ama o coração honesto, Ele se prepara para providenciá-la.

Como Deus sabe o que é perder um filho, Ele dá poder ao seu Filho.

Mas antes de Jesus e Jairo irem muito longe, eles são interrompidos por emissários que estão vindo da casa daquele homem.

"A tua filha está morta; para que enfadas mais o Mestre?" (v. 35)

Prepare-se. Segure o seu chapéu. É aqui que a história começa a se desenvolver. Jesus deixa de ser conduzido para conduzir, de ser convencido por Jairo para *convencer* Jairo. De ser admirado para ser escarnecido, de ajudar as pessoas para expulsá-las.

É aqui que Jesus assume o controle.

"Não fazendo caso do que eles disseram, Jesus disse..." (Mc 5.36 – NVI).

Gosto muito dessa frase! Ela descreve o princípio crítico para ver o invisível: ignorar o que as pessoas dizem. Mantenha as pessoas de fora. Afaste-as. Tape os ouvidos. E, se precisar, vá embora.

Ignore aqueles que dizem que é tarde demais para começar de novo.

Desconsidere aqueles que dizem que você nunca vai ser coisa alguma.

Faça-se de surdo em relação àqueles que dizem que você não é esperto o suficiente, rápido o suficiente, alto o suficiente ou grande o suficiente — ignore-os.

Há momentos em que a fé se inicia colocando algodão nos ouvidos.

Jesus se volta imediatamente para Jairo e pede: "Não temas, crê somente" (v. 36).

Jesus está levando Jairo para ver o invisível. Quando Jesus diz "crê somente", Ele está implorando... "Não limite suas possibilidades ao visível. Não ouça apenas o audível. Não seja controlado apenas pela lógica. Acredite que existe muito mais na vida do que aquilo que pode ser visto com os olhos!"

"Confie em mim", é o apelo de Jesus. "Não temas, crê somente".

Um pai nas Bahamas clamou da mesma maneira, pedindo ajuda para seu pequeno filho que estava preso numa casa em chamas. A estrutura de dois andares foi envolvida pelas chamas e a família — o pai, a mãe, e vários filhos — já estava saindo quando o filho menor ficou com medo e subiu as escadas novamente. Do lado de fora, seu pai gritou para ele:

— Filho, pule! Eu vou agarrar você.

E o menino respondeu:

— Mas papai, eu não posso ver você.

— Eu sei — disse o pai —, mas eu posso vê-lo.

O pai podia ver, muito embora o filho não pudesse.

Um exemplo similar de fé foi encontrado na parede de um campo de concentração. Naquele lugar, um dos prisioneiros escreveu as seguintes palavras:

> Eu creio no sol, muito embora ele não brilhe.
>
> Eu creio no amor, mesmo quando ele não é demonstrado.
>
> Eu creio em Deus, mesmo quando Ele não fala.

Eu tento imaginar a pessoa que rabiscou aquelas palavras. Tento imaginar a mão esquelética pegando o caco de vidro ou a pedra que riscou aquelas paredes. Tento imaginar seus olhos procurando enxergar alguma coisa na escuridão enquanto entalhava cada letra. Que mãos poderiam ter forjado aquela convicção? Que olhos poderiam ter visto o bem no meio de tanto horror?

Só há uma resposta: olhos que optaram por ver o invisível.

Como Paulo escreveu, "não atentando nós nas coisas que se vêem, mas nas que se não vêem; porque as que se vêem são temporais, e as que se não vêem são eternas" (2 Co 4.18).

Jesus está pedindo para Jairo ver o invisível. Para fazer uma escolha. Para optar entre viver pelos fatos ou ver pela fé. Quando a tragédia nos abate, somos levados a optar por aquilo que vemos. Podemos optar por ver a dor ou aquEle que cura.

A escolha é nossa.

Jairo fez a sua opção. Ele optou pela fé e por Jesus... E a fé *em* Jesus o levou até sua filha.

Ao chegarem, Jesus e Jairo encontram um grupo de pranteadores. Jesus fica perturbado com sua lamúria. O fato de eles expressarem tal ansiedade com relação à morte realmente perturba o Senhor. "Por que vos alvoroçais e chorais? A menina não está morta, mas dorme" (v. 39).

Esta não é uma pergunta retórica. É uma pergunta sincera. A partir desta perspectiva, a garota não está morta, mas apenas dormindo. Do ponto de vista de Deus, a morte não é permanente. É um passo necessário para passar deste mundo para o próximo. Não é um fim; é um início.

Eu tinha duas paixões quando era criança: brincar e comer. Os verões foram feitos para passar as tardes no campo de beisebol e desfrutar das refeições que mamãe preparava. Contudo, mamãe tinha uma regra: meninos sujos e suados jamais poderiam comer na mesa de jantar. Suas primeiras palavras dirigidas a nós, quando chegávamos em casa, sempre eram estas: "Tirem essas roupas sujas e vão tomar banho se vocês quiserem comer".

A verdade é que nenhum menino é muito chegado a banho e roupas arrumadas, porém eu nunca reclamei ou desafiei minha mãe dizendo: "Eu prefiro ficar fedendo a comer!" Em minha economia, um banho e uma camisa limpa eram um preço baixo a ser pago por uma boa refeição.

Da perspectiva de Deus, a morte é um preço baixo a ser pago pelo privilégio de se sentar à sua mesa. "Carne e sangue não podem herdar o Reino de Deus... Porque *convém* que isto que é corruptível se revista da incorruptibilidade e que isto que é mortal *se revista* da imortalidade" (1 Co 15.50,53, ênfase do autor).

Deus é muito mais insistente do que minha mãe era. Para que possamos sentar à sua mesa, uma mudança de roupas *tem* de ocorrer. Nós devemos morrer para que o nosso corpo seja substituído por um novo. Assim, do ponto de vista de Deus, a morte não deve ser temida. Deve ser bem-vinda.

Quando Jesus vê as pessoas chorando e lamentando a morte, quer saber "por que vos alvoroçais e chorais?" (v. 39)

Ao vermos a morte, vemos o desastre. Quando Jesus vê a morte, vê a libertação.

Isso é muito para as pessoas entenderem. " E riam-se dele" (v. 40). Então, Jesus simplesmente pede para que as pessoas saiam. Ele as *põe para fora*. É como se Ele pegasse as pessoas pelo colarinho e pelo cinto e as mandasse passear. A reação de Jesus foi decisiva e forte. No texto original, a palavra usada aqui é a mesma usada para descrever o que Jesus fez com os cambistas que estavam no templo. É o mesmo verbo usado *38 vezes* no Novo Testamento para descrever o que Jesus fez aos demônios.

Por quê? Por que tanta força? Por que tanta intolerância?

Talvez a resposta seja encontrada ao retornarmos à experiência que passamos em nossa sala de estar ontem à noite. Depois de Jenna e Andrea se alternarem na orientação dada uma a outra para conseguirem atravessar a sala, decidi adicionar uma mudança perversa. Fui caminhando atrás de Jenna, que estava com os olhos vendados, e comecei a sussurrar:

— Não dê ouvidos a ela. Ouça a mim. Eu vou cuidar de você.

Jenna parou. Analisou a situação e fez a opção entre as duas vozes.

— Papai, fique quieto — disse ela, rindo, e então continuou a seguir as instruções de Andrea.

Intrépido, peguei uma tampa de panela, coloquei perto do seu ouvido e comecei a bater na tampa com uma colher. Ela deu um pulo e parou, assustada com o barulho. Vendo que sua peregrina estava ameaçada, Andrea fez uma grande coisa. Ela correu pela sala, colocou seus braços em volta de sua irmã e disse:

— Não tenha medo, eu estou aqui.

Ela não estava disposta a deixar que o barulho impedisse Jenna de cumprir seu objetivo.

Deus não vai deixar que o barulho impeça que você ouça suas instruções. Ele está ocupado, expulsando os críticos e as vozes que poderiam deter você.

Você pode ver algumas de suas obras. A maioria delas não pode ver. Somente quando chegar ao lar é que vai saber quantas vezes Deus o protegeu das vozes enganosas. Somente a eternidade revelará as vezes em que Ele...

Interferiu na sua promoção, protegendo-o do envolvimento com questões não-éticas.

Encheu o aeroporto de neblina, distanciando-o de uma oportunidade duvidosa.

Esvaziou o pneu do seu carro, impedindo-o que se registrasse no hotel e se encontrasse com um homem sedutor.

E somente os céus vão mostrar as vezes em que Ele o protegeu...

Dando-lhe um parceiro que ama a Deus mais do que você mesmo.

Abrindo as portas para um novo negócio de modo que você pudesse continuar freqüentado a mesma igreja.

Colocando a voz certa, com a mensagem certa, na estação de rádio certa, naquele dia em que você precisava de encorajamento.

Tome nota disso: Deus sabe que você e eu somos cegos. Sabe que viver pela fé e não por vista não é uma coisa que acontece naturalmente. Eu acho que essa é uma das razões pelas quais Ele ressuscitou a filha de Jairo. Não foi por causa dela, pois ela estaria melhor no céu. Mas foi por nossa causa — para nos ensinar que o céu está nos vendo quando nós confiamos.

Um pensamento final sobre aquela experiência de andar com os olhos vendados. Perguntei a Jenna como ela conseguiu ouvir a voz de Andrea guiando-a pela sala, enquanto eu estava tentando distraí-la, sussurrando em seu ouvido.

Sua resposta? "Eu simplesmente me concentrei o máximo que pude em ouvi-la".

18

A Oração de José

Quando Você Fica Confuso com as Ações de Deus

"E José... fez como o anjo do Senhor lhe ordenara."

MATEUS 1.24

O ESPAÇO EM BRANCO entre os versos da Bíblia é solo fértil para as perguntas. É quase impossível ler as Escrituras sem sussurrar "será que..."

"Será que Eva comeu outros frutos."

"Será que Noé dormiu bem durante as tempestades."

"Será que Jonas gostava de peixe ou Jeremias tinha amigos."

"Será que Moisés fugia de arbustos? Será que Jesus contou piadas? Será que Pedro tentou andar sobre as águas de novo?"

"Será que alguma mulher se casaria com Paulo, caso ele a pedisse em casamento?"

A Bíblia está recheada de buracos pelos quais podemos espreitar, mas não conseguimos ver o quadro completo. É um álbum de recortes e de momentos súbitos que capturam as pessoas em seus encontros com Deus, porém nem sempre registram resultado. Assim, nós ficamos conjecturando:

Quando a mulher pega em adultério foi para casa, o que disse ao seu marido?

Após ter sido liberto, o que o homem endemoninhado fazia para ganhar a vida?

Depois de ter sido ressuscitada dos mortos, será que a filha de Jairo se arrependeu?

Buracos, momentos súbitos, "será que..."; você vai encontrá-los em todos os capítulos, falando sobre todas as pessoas. No entanto, nada levanta tantas questões como o nascimento de Cristo. Os personagens aparecem e desaparecem antes que possamos perguntar-lhes alguma coisa. Os pastores — será que eles murmuraram a canção que os anjos cantaram? Os sábios que seguiram a estrela — como será que foi adorar um bebê? E José, especialmente José. Eu tenho algumas perguntas para José.

Você e Jesus brincaram de braço-de-ferro? Será que Ele deixou você ganhar alguma vez?

Será que, durante suas orações, você levantou os olhos e encontrou Jesus ouvindo?

Como se diz "Jesus" em egípcio?

O que aconteceu com os sábios?

O que aconteceu com você?

Nós não sabemos o que aconteceu a José. Seu papel no primeiro ato é tão importante que esperamos vê-lo no resto do drama — mas, com exceção de uma pequena cena que se passou quando Jesus tinha 12 anos, quando estava em Jerusalém, ele nunca mais aparece. O resto de sua vida é deixado à especulação e nós somos abandonados com nossas perguntas.

Entretanto, de todas as minhas perguntas, a primeira seria sobre Belém. Eu gostaria de saber sobre a noite na estrebaria. Posso imaginar José ali. Pastagens iluminadas pela lua. Estrelas brilhando no céu. Podemos ver Belém brilhando à distância. Lá está ele, andando do lado de fora da estrebaria.

O que ele estaria pensando enquanto Jesus estava nascendo? O que passava por sua mente enquanto Maria estava dando à luz? Ele tinha feito tudo o que podia — esquentado a água, preparado um lugar para Maria se deitar. Ele deixou Maria o mais confortável que podia dentro de um celeiro e, então, saiu. Ela teria pedido para ficar sozinha, e José nunca se sentira tão só quanto naquele momento.

Nesta eternidade que se passou entre a despedida de sua mulher e a chegada de Jesus, o que estaria ele pensando? Ele caminhou pela noite e olhou para as estrelas. Será que ele orou?

Por alguma razão, eu não o vejo silencioso: observo José animado, caminhando. A cabeça balança num minuto, os punhos se agitam no outro. Não era isso o que tinha em mente. Fique imaginando o que ele disse...

Não foi isso o que planejei, Deus. De jeito nenhum. Meu filho nascendo numa estrebaria? Eu achava que não ia acontecer dessa maneira. Um lugar com ovelhas e burros, palha e feno? Minha esposa dando à luz tendo apenas as estrelas para ouvir sua dor?

De maneira alguma era isso o que tinha imaginado. Não, eu imaginava família. Imaginava avós. Imaginava vizinhos amontoados do lado de fora e amigos de pé, ao meu lado. Imaginava a casa explodindo com o primeiro choro do menino. Palmas no fundo. Risadas em alto som. Júbilo.

Era assim que eu imaginava que seria.

A parteira traria a criança para mim e todas as pessoas aplaudiriam. Maria descansaria e nós festejaríamos. Toda a Nazaré celebraria.

Mas olhe só. Nazaré está a cinco dias de distância. E aqui estamos nós numa... numa pastagem de ovelhas. Quem vai celebrar conosco? As ovelhas? Os pastores? As estrelas?

Isto não parece correto. Que tipo de marido sou eu? Não trouxe nenhuma parteira para ajudar a minha esposa. Não há uma cama para descansar. Seu travesseiro é um dos panos que tirei de minha mula. A casa que lhe preparei é um amontoado de palha e feno.

O cheiro é ruim, os animais fazem barulho. Por quê? Eu mesmo estou cheirando feito um pastor.

Será que perdi alguma coisa? Deus, será que não entendi algo?

Quando o Senhor me enviou um anjo com a notícia de que um filho estava por nascer, não foi isso o que imaginei. Eu imaginava Jerusalém, o templo, os sacerdotes e as pessoas reunidas para ver. Talvez até mesmo uma cerimônia. Uma parada. Um banquete, pelo menos. Puxa, afinal, Ele é o Messias!

Pois então, se não era para nascer em Jerusalém, que tal Nazaré? Nazaré não teria sido melhor? Pelo menos ali, tinha a minha casa e o meu negócio. Fora de lá, o que tenho? Uma mula cansada, uma pilha de lenha e um pote de água quente. Eu não queria que as coisas fossem assim! Não era isso o que queria para o meu filho...

Ai, ai, ai, eu fiz de novo. Eu fiz de novo, não fiz, Pai? Eu não queria fazê-lo; é que esqueci. Ele não é meu filho... é o seu Filho.

O Filho é seu. O plano é seu. A idéia é sua. E, perdoe-me por perguntar, mas... é assim que Deus chega ao mundo? A vinda do anjo, tudo bem, eu aceitei. As perguntas que as pessoas faziam sobre a gravidez, eu tolerei. A viagem até Belém, tudo bem. Mas, e quanto ao nascimento numa estrebaria, Deus?

A qualquer momento Maria vai dar à luz. Não uma criança qualquer, mas o Messias. Não um infante, mas o próprio Deus. Foi isso o que o anjo disse. É nisso que Maria acredita. E eu, Deus, meu Deus, é nisso que quero acreditar. Todavia tenho certeza de que você pode entender que isso não é fácil. Parece tão... tão... tão... bizarro.

Não estou acostumado com estas coisas tão diferentes, Deus. Eu sou carpinteiro, faço com que as coisas se encaixem. Deixo os cantos retos. Sigo aquilo que o nível me informa. Meço duas vezes antes de cortar. A surpresa não é amiga de um construtor. Gosto de saber qual é o plano. Gosto de ver o plano antes de começar.

Contudo, desta vez, não sou o construtor, sou? Desta vez, sou uma ferramenta. Um martelo em suas mãos. Um prego entre seus dedos. Um formão sob seu controle. O projeto é seu, não meu.

Acho que é tolice minha questionar você. Perdoe-me pela minha dificuldade. Não consigo confiar com facilidade, Deus. Porém, você nunca disse que seria fácil, disse?

Uma última coisa, Pai. Sabe o anjo que você enviou? Será que existe alguma possibilidade de enviar outro? Se não for um anjo, talvez uma pessoa? Eu não conheço ninguém por aqui e ter alguma companhia seria bom. Pode ser um viajante. Até mesmo um pastor seria bom.

Fico imaginando. Será que José fez uma oração desse jeito alguma vez? Talvez tenha feito. Talvez não.

Mas você provavelmente já fez.

Você ficou ali, de pé, no mesmo lugar que José. Preso entre o que Deus diz e aquilo que faz sentido. Você fez o que Deus lhe disse para fazer, apenas para saber se realmente foi Ele quem falou. Você olhou para um céu enegrecido pela dúvida. Você também perguntou o que José perguntou.

Perguntou se ainda estava no caminho correto. Perguntou se deveria ter virado à esquerda quando virou à direita. Perguntou se existe um plano por trás deste esquema. As coisas não saíram como você pensava que seriam.

Cada um de nós sabe como é caminhar à noite buscando a luz. Não do lado de fora de uma estrebaria, mas talvez na porta de entrada de um pronto-socorro. Andando pelos pedregulhos de um caminho. Diante da grama bem cortada de um cemitério. Nós fazemos nossas perguntas. Questionamos o plano de Deus. E ficamos pensando por que Deus faz o que faz.

O céu de Belém não é o primeiro a ouvir o pedido de um peregrino confuso.

Se você está perguntando o que José perguntou, deixe-me insistir com você para que também faça o que José fez: obedeça. Foi isso o que ele fez. Obedeceu. Obedeceu quando o anjo chamou. Obedeceu quando Maria explicou. Obedeceu quando Deus enviou.

Ele foi obediente a Deus.

Ele foi obediente quando o céu estava claro.

Ele foi obediente quando o céu estava escuro.

Ele não deixou que aquela confusão embaraçasse sua obediência. Não sabia tudo. Mas fez o que sabia. Fechou seu negócio, arrumou a mudança da família e foi para outro país. Por quê? Porque foi isso o que Deus lhe disse para fazer.

E quanto a você? Tal como José, não pode ver o quadro completo. Tal como José, sua tarefa é ver que Jesus entrou no seu mundo. E, tal como José, você tem uma escolha: obedecer ou desobedecer. Por ter obedecido, Deus usou José para transformar o mundo.

Será que Ele pode fazer a mesma coisa com você?

Deus ainda procura Josés hoje em dia. Homens e mulheres que acreditam que Deus não abandonou este mundo. Pessoas comuns que servem a um Deus incomum.

Será você esse tipo de pessoa? Está disposto a servir... mesmo quando não compreende?

Não, o céu de Belém não é o primeiro a ouvir os apelos de um coração honesto, e tampouco será o último. Talvez Deus não tenha respondido todas as perguntas de José. Mas ele respondeu a mais importante: "Você ainda está comigo, Deus?" E, através do primeiro choro do menino Deus, a resposta veio.

"Sim, sim, José. Eu estou com você".

Existem muitas perguntas sobre a Bíblia que não seremos capazes de responder até que cheguemos ao céu. Buracos e momentos súbitos. Em muitas ocasiões, nós vamos refletir, pensando "será que..."

Porém, em nossas ponderações, existe uma pergunta que nunca precisaremos fazer. Será que Deus se importa conosco? Somos importantes para Deus? Ele ainda ama seus filhos?

Por meio da pequena face de um menino nascido numa estrebaria, Ele diz que sim.

Sim, seus pecados são perdoados.

Sim, seu nome está escrito no céu.

Sim, a morte foi derrotada.

Sim, Deus veio a este mundo.

Emanuel. Deus conosco.

19

A Realidade da Sepultura

Compreendendo a Morte

Estava, então, enfermo um certo Lázaro, de Betânia, aldeia de Maria e de sua irmã Marta. E Maria era aquela que tinha ungido o Senhor com ungüento e lhe tinha enxugado os pés com os seus cabelos, cujo irmão, Lázaro, estava enfermo. Mandaram-lhe, pois, suas irmãs dizer: Senhor, eis que está enfermo aquele que tu amas.

E Jesus, ouvindo isso, disse: Esta enfermidade não é para morte, mas para glória de Deus, para que o Filho de Deus seja glorificado por ela. Ora, Jesus amava a Marta, e a sua irmã, e a Lázaro. Ouvindo, pois, que estava enfermo, ficou ainda dois dias no lugar onde estava. Depois disso, disse aos seus discípulos: Vamos outra vez para a Judéia.

Disseram-lhe os discípulos: Rabi, ainda agora os judeus procuravam apedrejar-te, e tornas para lá?

Jesus respondeu: Não há doze horas no dia? Se alguém andar de dia, não tropeça, porque vê a luz deste mundo. Mas, se andar de noite, tropeça, porque nele não há luz.

Assim falou e, depois, disse-lhes: Lázaro, o nosso amigo, dorme, mas vou despertá-lo do sono.

Disseram, pois, os seus discípulos: Senhor, se dorme, estará salvo.

Mas Jesus dizia isso da sua morte; eles, porém, cuidavam que falava do repouso do sono. Então, Jesus disse-lhes claramente: Lázaro está morto, e folgo, por amor de vós, de que eu lá não estivesse, para que acrediteis. Mas vamos ter com ele.

Disse, pois, Tomé, chamado Dídimo, aos condiscípulos: Vamos nós também, para morrermos com ele.

Chegando, pois, Jesus, achou que já havia quatro dias que estava na sepultura. (Ora, Betânia distava de Jerusalém quase quinze estádios.) E muitos dos judeus tinham ido consolar a Marta e a Maria, acerca de seu irmão.

Ouvindo, pois, Marta que Jesus vinha, saiu-lhe ao encontro; Maria, porém, ficou assentada em casa. Disse, pois, Marta a Jesus: Senhor, se tu estivesses aqui, meu irmão não teria morrido. Mas também, agora, sei que tudo quanto pedires a Deus, Deus to concederá.

Disse-lhe Jesus: Teu irmão há de ressuscitar.

Disse-lhe Marta: Eu sei que há de ressuscitar na ressurreição do último Dia.

Disse-lhe Jesus: Eu sou a ressurreição e a vida; quem crê em mim, ainda que esteja morto, viverá; e todo aquele que vive e crê em mim nunca morrerá. Crês tu isso?

Disse-lhe ela: Sim, Senhor, creio que tu és o Cristo, o Filho de Deus, que havia de vir ao mundo.

E, dito isso, partiu e chamou em segredo a Maria, sua irmã, dizendo: O Mestre está aqui e chama-te. Ela, ouvindo isso, levantou-se logo e foi ter com ele. (Ainda Jesus não tinha chegado à aldeia, mas estava no lugar onde Marta o encontrara.) Vendo, pois, os judeus que estavam com ela em casa e a consolavam que Maria apressadamente se levantara e saíra, seguiram-na, dizendo: Vai ao sepulcro para chorar ali. Tendo, pois, Maria chegado aonde Jesus estava e vendo-o, lançou-se aos seus pés, dizendo-lhe: Senhor, se tu estivesses aqui, meu irmão não teria morrido.

Jesus, pois, quando a viu chorar e também chorando os judeus que com ela vinham, moveu-se muito em espírito e perturbou-se. E disse: Onde o pusestes?

Disseram-lhe: Senhor, vem e vê.

Jesus chorou.

Disseram, pois, os judeus: Vede como o amava.

E alguns deles disseram: Não podia ele, que abriu os olhos ao cego, fazer também com que este não morresse?

Jesus, pois, movendo-se outra vez muito em si mesmo, foi ao sepulcro; e era uma caverna e tinha uma pedra posta sobre ela. Disse Jesus: Tirai a pedra.

Marta, irmã do defunto, disse-lhe: Senhor, já cheira mal, porque é já de quatro dias.

Disse-lhe Jesus: Não te hei dito que, se creres, verás a glória de Deus?

Tiraram, pois, a pedra. E Jesus, levantando os olhos para o céu, disse: Pai, graças te dou, por me haveres ouvido. Eu bem sei que sempre me ouves, mas eu disse isso por causa da multidão que está ao redor, para que creiam que tu me enviaste. E, tendo dito isso, clamou com grande voz: Lázaro, vem para fora. E o defunto saiu, tendo as mãos e os pés ligados com faixas, e o seu rosto, envolto num lenço.

Disse-lhes Jesus: Desligai-o e deixai-o ir.

João 11.1-44

"Onde está, ó morte, a sua vitória?"

1 Coríntios 15.55 – NVI

Você está saindo do prédio da igreja. O funeral acabou. O que vem a seguir é o sepultamento. À sua frente, você vê seis homens carregando o caixão que leva o corpo de seu filho. Seu único filho.

Você está entorpecida pela tristeza. Atordoada. Você perdeu seu marido e agora perdeu seu único filho. A partir desse instante, não tem mais família. Se tivesse mais lágrimas, choraria. Se ainda tivesse fé, oraria. Mas ambas estão com os estoques baixos e, assim, você não faz nem uma coisa nem outra. Você simplesmente olha para o fundo daquela caixa de madeira.

De repente, ela pára. As pessoas que estão carregando o caixão param. Você pára.

Um homem se coloca em frente ao esquife. Você não o conhece. Nunca o viu antes. Ele não estava no funeral. Está vestindo um casaco de veludo cotelê e calça jeans. Você não faz a menor idéia do que Ele está fazendo. Mas antes de fazer qualquer objeção, Ele vai até você e diz:

— Não chore.

Não chore? Não chore? Isto aqui é um funeral. Meu filho está morto. Não chore? Quem é você para me dizer para não chorar? Estes são os seus pensamentos, porém eles nunca se transformam em palavras porque, antes de você falar, Ele age.

Este homem se volta para o caixão, coloca sua mão sobre ele e diz em voz alta:

— Jovem, eu lhe digo: levante-se!

— Ei, o que está fazendo? — uma das pessoas que carregavam o caixão diz.

Entretanto, a sentença é interrompida por um movimento repentino no caixão. Os homens olham uns para os outros e colocam rapidamente o caixão na calçada. Foi uma boa reação deles, porque, tão logo ele toca o chão, a tampa vagarosamente se abre...

Parece coisa de romance de ficção científica? Não é. Isto foi tirado diretamente do Evangelho de Lucas. "E, chegando-se, tocou o esquife (e os que o levavam pararam) e disse: Jovem, eu te digo: Levanta-te. E o defunto assentou-se e começou a falar" (Lc 7.14,15).

Tenha cuidado. Não leia esta última linha rápido demais. Tente lê-la novamente. Devagar.

"O defunto assentou-se e começou a falar".

Frase impressionante, você não acha? Mesmo correndo o risco de exagerar, vamos lê-la mais uma vez. Desta vez diga cada palavra em voz alta. "O defunto assentou-se e começou a falar".

Muito bem, alguma pessoa perto de você ficou olhando? Será que podemos fazer isso novamente? Desta vez, leia em voz alta de novo, mas bem d-e-v-a-g-a-r. Faça pausas entre as palavras.

"O... defunto... assentou-se... e... começou... a... falar".

Agora, a pergunta. O que há de estranho nesse versículo?

É isso mesmo. Pessoas mortas não se assentam! Pessoas mortas não falam! Pessoas mortas não saem de seus caixões!

A não ser que Jesus apareça. Porque, quando Jesus aparece, você nunca sabe o que vai acontecer.

Jairo pode falar sobre isso. Sua filha já estava morta. As carpideiras já estavam em casa. O funeral já havia começado. As pessoas achavam que o melhor que Jesus poderia fazer seria falar algumas palavras sobre a filha de Jairo. Tudo bem, Jesus realmente tinha algumas palavras a dizer. Não sobre a menina, mas para a menina.

"Levanta-te, menina!" (Lc 8.54)

A próxima coisa que o pai viu foi sua filha se alimentando. Jesus estava rindo e as carpideiras foram mandadas para casa mais cedo.

Marta também pode contar a história. Ela esperava que Jesus aparecesse para curar Lázaro. Todavia Ele não veio. Então, Marta esperava que o Mestre pudesse ir até lá para participar do funeral. Ele não foi. Quando chegou à Betânia, Lázaro estava enterrado havia quatro dias e Marta estava pensando que tipo de amigo era Jesus.

Ela ouve dizer que Jesus está na entrada da cidade e sai correndo para encontrá-lo. "Senhor, se tu estivesses aqui, meu irmão não teria morrido" (Jo 11.21).

Existe mágoa nessas palavras. Mágoa e desapontamento. AquEle que poderia ter feito diferença, não fez, e Marta queria saber por quê.

Talvez você também queira. Talvez tenha feito aquilo que Marta fez. Uma pessoa que você ama está à beira da morte e você se volta para Jesus em busca de ajuda. Tal como Marta, volta-se para a única pessoa que pode puxar alguém que está à beira do abismo da morte. Você pede que Jesus faça algo.

Marta deve ter pensado: *Certamente Ele virá. Ele não curou o paralítico? Não ajudou o leproso? Não deu vista ao cego? E eles mal conheciam a Jesus. Lázaro é seu amigo. Nós somos como família. Jesus não vinha aqui para passar o final de semana? Ele não comia à nossa mesa? Quando ouvir que Lázaro está doente, Ele estará aqui num piscar de olhos.*

No entanto, Cristo não veio. Lázaro piorou. Ela olhava pela janela. Jesus não aparecia. Seu irmão passava por momentos de falta de consciência. "Ele vai chegar logo, Lázaro", prometia ela. "Agüente firme".

Contudo, a batida na porta nunca aconteceu. Jesus nunca apareceu. Não para ajudar. Não para curar. Não para sepultar. Agora, quatro dias depois, Ele finalmente aparece. O funeral já acabou. O corpo está enterrado e a sepultura, selada.

E Marta está machucada.

Suas palavras ecoavam em milhares de cemitérios. "Se o Senhor estivesse aqui, meu irmão não teria morrido".

Se você estivesse fazendo sua parte, Deus, meu marido teria sobrevivido. Se tivesse feito o que é certo, Senhor, meu bebê teria vivido.

Se estivesse apenas escutado as minhas orações, Deus, meus braços não estariam vazios.

A sepultura revela nossa visão de Deus.

Quando encaramos a morte, nossa definição de Deus é desafiada. O que, por sua vez, desafia nossa fé. O que me leva a fazer uma pergunta ainda mais séria. Por que é que interpretamos a presença da morte como a ausência de Deus? Por que achamos que, se o corpo não foi curado, então Deus não estava por perto? Seria a cura a única maneira de Deus demonstrar a sua presença?

Às vezes achamos que sim. Como resultado, quando Deus não responde às nossas orações pela cura, nós ficamos bravos. Ressentidos. A culpa substitui a crença. "Se você estivesse por aqui, fazendo sua parte, Deus, então esta morte não teria acontecido".

É triste constatar que esta visão de Deus não deixa espaço para a morte.

Já faz algum tempo, uma pessoa que nos visitou em nossa casa mostrou às nossas filhas alguns truques. Eram pequenas mágicas. Coisas feitas com as mãos. Eu fiquei de lado, analisando a reação das meninas. Elas estavam maravilhadas. Quando a moeda desaparecia, suspiravam. Quando aparecia de novo, ficavam extasiadas. Num primeiro momento, fui condescendente com o fato de elas estarem confusas.

Contudo, com o passar do tempo, minha condescendência transformou-se em preocupação. Parte de mim não gostava do que estava acontecendo. Minhas filhas estavam sendo iludidas. Ele estava pregando uma peça nelas. Elas, inocentes, estavam sendo ludibriadas por ele, o espertalhão. Não gostei daquilo. Não gostei de ver minhas filhas sendo enganadas.

Assim, comecei a sussurrar no ouvido de minhas filhas. "Está na manga". E certamente estava. "Está atrás de sua orelha". E, como você sabe, eu estava certo! Talvez eu tenha sido rude por interferir no show, mas não gosto de ver um malandro pregando uma peça em minhas filhas.

Deus também não gosta.

Jesus não agüentava ficar sentado, vendo uma pessoa que perdera um parente sendo enganada.

Por favor, entenda uma coisa: Ele não ressuscitou o morto por causa do morto, mas por causa dos vivos.

"Lázaro, vem para fora" (v. 43).

Marta ficou calada diante da ordem de Jesus. As carpideiras ficaram quietas. Ninguém se mexeu, enquanto Jesus estava olhando face a face para a tumba aberta, ordenando que libertasse seu amigo.

Ninguém se mexeu, exceto Lázaro. Lá no fundo do sepulcro, ele se moveu. Seu coração silencioso começou a bater novamente. Olhos envolvidos em panos se abriram. Dedos que pareciam galhos de árvore se mexeram. E lá, naquele sepulcro, um homem enrolado como uma múmia se levanta. Quer saber o que aconteceu depois?

Vamos deixar que João nos conte. "E o defunto saiu, tendo as mãos e os pés ligados com faixas, e o seu rosto, envolto num lenço" (v. 44).

Aí está ela de novo. Você a viu? É aquela frase. Leia as primeiras quatro palavras deste versículo novamente.

"E o defunto saiu".

Mais uma vez. Desta vez, mais lento.

"E o defunto saiu".

Uma vez mais. Desta vez em voz alta e bem devagar. (Eu sei que você acha que sou louco, mas realmente quero que você entenda.)

"E... o... defunto... saiu".

Posso fazer a mesma pergunta? (É claro que posso; sou eu quem está escrevendo o livro!)

Pergunta: O que há de errado com esta situação?

Resposta: Homens mortos não saem da sepultura.

Pergunta: Que tipo de Deus é este?

Resposta: O Deus que tem as chaves da vida e da morte.

O tipo de Deus que arregaça as mangas dos malandros e revela como é o truque da morte.

O tipo de Deus que você quer que esteja no seu funeral.

Ele vai fazer aquilo de novo, você sabe. Ele prometeu que faria. Tem mostrado que pode fazer.

"Porque o mesmo Senhor descerá do céu com alarido" (1 Ts 4.16).

A mesma voz que despertou o menino próximo a Naim, que fez com que a filha de Jairo se movesse, que reanimou o corpo de Lázaro — a mesma voz ainda fala hoje. A terra e o mar darão os seus mortos. Não haverá mais morte.

Jesus garantiu isso.

20

Cristianismo Indiferente

Quando Ser Bom não É Suficiente

E, quando chegaram ao lugar chamado a Caveira, ali o crucificaram e aos malfeitores, um, à direita, e outro, à esquerda. E dizia Jesus: Pai, perdoa-lhes, porque não sabem o que fazem.

E, repartindo as suas vestes, lançaram sortes. E o povo estava olhando. E também os príncipes zombavam dele, dizendo: Aos outros salvou; salve-se a si mesmo, se este é o Cristo, o escolhido de Deus.

E também os soldados escarneciam dele, chegando-se a ele, e apresentando-lhe vinagre, e dizendo: Se tu és o Rei dos judeus, salva-te a ti mesmo. E também, por cima dele, estava um título, escrito em letras gregas, romanas e hebraicas: ESTE É O REI DOS JUDEUS.

E um dos malfeitores que estavam pendurados blasfemava dele, dizendo: Se tu és o Cristo, salva-te a ti mesmo e a nós.

Respondendo, porém, o outro, repreendia-o, dizendo: Tu nem ainda temes a Deus, estando na mesma condenação? E nós, na verdade, com justiça, porque recebemos o que os nossos feitos mereciam; mas este nenhum mal fez. E disse a Jesus: Senhor, lembra-te de mim, quando entrares no teu Reino.

LUCAS 23.33-42

"Em verdade te digo que hoje estarás comigo no Paraíso."

Lucas 23.43

Ela quase perdeu o vôo. De fato, eu já pensava que tinha a fileira toda para mim, quando olhei para frente e a vi, bufando pelo corredor, puxando duas malas enormes.

— Odeio voar — disse ela, pensando alto, enquanto se sentava. — Tentei adiar isso o quanto pude.

— Você quase adiou para além do que poderia — disse eu, sorrindo.

Ela era alta, jovem, loura, bronzeada e bastante desinibida. Sua calça jeans estava rasgada na altura do joelho, seguindo a moda. Suas botas pretas tinham apliques prateados. Descobri mais tarde que ela realmente odiava voar. Seu modo de superar o problema com os vôos era conversar com alguém.

— Estou indo para casa ver meu pai. Ele vai ficar surpreso com a minha cor. Meu pai acha que sou louca por morar na Califórnia, porque sou solteira, e tudo mais. Estou de namorado novo. Ele é do Líbano. Mas viaja muito e só o vejo nos finais de semana, o que de certa forma é bom, pois fico com a casa toda só para mim. Ela não fica muito longe da praia e...

Aprendi como agir quando uma mulher atraente e simpática senta-se ao meu lado. Assim que possível, revelo minha profissão e meu estado civil. Isto livra ambos de qualquer dificuldade.

— Minha *esposa* também odeia voar — disparei, assim que ela parou para respirar — e, portanto, sei o que você está sentindo. Como sou um *ministro religioso*, conheço uma passagem bíblica que acho que você gostaria de ler quando decolarmos.

Tirei minha Bíblia da pasta e abri no Salmo 23.

Pela primeira vez ela ficou quieta.

— O Senhor é o meu pastor — disse ela, abrindo um grande sorriso enquanto lia. — Eu me lembro disso! — foi seu comentário, no exato momento em que o avião decolava. — Li isto quando era criança.

Ela continuou lendo. Quando falou novamente, havia lágrimas em seus olhos.

— Faz muito tempo. Isso foi muito, muito tempo atrás.

Ela contou-me como crera... uma certa vez. Tornara-se cristã quando ainda era bem jovem, mas era incapaz de se lembrar da última vez que fora a uma igreja.

Conversamos sobre fé e segunda chance. Pedi permissão para lhe fazer uma pergunta. Ela concordou.

— Você acredita no céu?

— Claro.

— Você acha que vai para o céu?

Ela olhou para o infinito por alguns instantes e depois, virando-se para mim, disse com segurança:

— Sim, sim, eu estarei lá no céu.

— Como você sabe?

— Como eu sei que vou para o céu? — enquanto pensava na resposta, foi ficando cada vez mais quieta.

De alguma forma eu sabia o que essa jovem diria, antes mesmo de abrir a boca. Pude ver que a resposta estava chegando. Ela me apresentaria sua "lista" (todo o mundo tem uma).

— Bom, eu sou basicamente boa. Não fumo mais do que um maço de cigarros por dia. Faço exercícios físicos. Sou honesta no trabalho — ela contava cada um dos feitos com um dedo da mão — e pedi para meu namorado fazer teste de AIDS.

Tchan, tchan, tchan, tchan! Ali estava sua lista. Suas qualidades. Segundo seu modo de pensar, o céu poderia ser alcançado por meio de hábitos saudáveis e de sexo seguro. Sua lógica era simples: sigo a lista aqui na terra e consigo um lugar lá no céu.

Agora, para não ser duro demais apenas com ela, deixe-me perguntar-lhe uma coisa: qual é a sua lista?

A maioria de nós tem uma. Muitos são como a moça do avião. Achamos que somos "basicamente bons". Decentes, trabalhadores. Temos uma lista que prova isso. Talvez a sua não inclua cigarros e AIDS, mas você tem uma lista.

Pago minhas contas em dia.

Amo minha esposa e meus filhos.

Vou à igreja.

Sou melhor que Hitler.

Sou basicamente bom.

A maioria de nós tem uma lista. A lista tem um propósito: provar que somos bons. Mas há um problema com ela: nenhum de nós é suficientemente bom.

Paulo abordou esta questão, quando colocou duas bananas de dinamite com pavio bem curto no terceiro capítulo de sua Carta aos Romanos. A primeira carga está no verso 10: " Não há um justo", disse ele, "nem um sequer". Ninguém. Nem você, nem eu, nem ninguém. A segunda explosão acontece no verso 23: "Porque todos pecaram e destituídos estão da glória de Deus".

Bum! Chega de listas. Chega de ser "basicamente bom".

Então, como é que se vai para o céu? Se ninguém é bom, se nenhuma lista é suficiente, se nenhum ato está de acordo, como é que uma pessoa pode ser salva?

Nenhuma pergunta é mais importante que esta. Para ouvirmos a resposta da boca do próprio Senhor Jesus, precisamos pensar no último encontro que Ele teve antes de morrer. Foi um encontro entre Jesus e dois criminosos.

Os três estão sendo crucificados.

Algumas pessoas gostam de pensar que estes dois ladrões são vítimas. Não mereciam tamanha punição. Homens bons que receberam um castigo muito severo. Patriotas morrendo como mártires. Mas este não é o caso. Mateus elimina qualquer uma dessas possibilidades com apenas um verso: "E o mesmo lhe lançaram também em rosto os salteadores que com ele estavam crucificados" (Mt 27.44).

A tragédia revela o caráter de uma pessoa. E a tragédia da crucificação revela que aqueles homens não tinham nenhum caráter. Eles usaram seu último suspiro para caluniar a Jesus. Você consegue ouvi-los? Vozes distorcidas pela dor, zombando do Messias.

"Que droga de rei dos judeus você é?"

"A vida de Messias é dura hoje em dia, não?"

"Que tal um milagrezinho, judeu?"

"Os pregos lá de Nazaré também são desse tamanho?"

Você poderia esperar uma coisa dessas vinda dos fariseus. Ou, quem sabe, até mesmo da multidão. A zombaria dos soldados também não seria surpresa. Mas, dos ladrões?

Homens crucificados insultando outro homem crucificado? São dois homens com a corda no pescoço ridicularizando o momento difícil de um terceiro. São dois prisioneiros de guerra diante do esquadrão de fuzilamento zombando da sorte de seu terceiro colega.

Será que alguém pode ser tão cego assim? Ou tão vil?

Não é de se surpreender que esses dois estejam pendurados numa cruz. Roma os considera dignos de terrível tortura. Seu único valor perante a sociedade é servir de espetáculo público. Foram deixados nus para que todos soubessem que não se pode esconder o mal. Prenderam suas mãos com pregos para que todos soubessem que o iníquo não tem poder. Foram erguidos num lugar bem alto de modo que todos dissessem a seus filhos: "Isto é o que acontece a homens maus".

Cada músculo de seus corpos clamava por alívio. Os pregos como que injetavam fogo em seus braços. As pernas se contorciam e se viravam em busca de conforto.

Entretanto, não há conforto numa cruz.

Porém, nem mesmo a dor dos cravos foi capaz de silenciar suas línguas maliciosas. Aqueles dois iriam morrer como sempre viveram: atacando o inocente. Todavia, neste caso, o inocente não revidou.

O homem de quem zombavam não parecia grande coisa. Seu corpo estava cortado pelo açoite, com as carnes como que arrancadas dos ossos. Seu rosto era uma máscara de sangue e cusparadas. Os olhos estavam inchados e inflamados. "Rei dos Judeus", dizia a placa acima de sua cabeça. Uma coroa de espinhos estava colocada sobre sua cabeça. Seus lábios estavam entreabertos. Talvez seu nariz sangrasse e um dente estivesse abalado.

O homem de quem escarneciam estava semimorto. Já havia apanhado. Mas, ainda assim, estava em paz. "Pai, perdoa-lhes, porque não sabem o que fazem" (Lc 23.34).

Depois da oração de Jesus, um dos ladrões começa a lançar insultos contra Ele: "Se tu és o Cristo, salva-te a ti mesmo e a nós" (v. 39).

O coração daquele ladrão continuava duro. A presença do Cristo crucificado não significava nada para ele. Jesus era digno apenas do ridículo, inclusive por parte dos ladrões. O ladrão espera encontrar eco vindo da outra cruz. Mas o eco não veio. Em vez disso, ele foi desafiado.

"Tu nem ainda temes a Deus, estando na mesma condenação? E nós, na verdade, com justiça, porque recebemos o que os nossos feitos mereciam; mas este nenhum mal fez" (vv. 40,41).

Incrível. A mesma boca que amaldiçoou a Jesus agora o defende. O que aconteceu? O que viu de diferente desde que foi colocado naquela cruz? Será que testemunhou algum milagre? Ouviu algum discurso? Leram para ele algum tratado sobre a Trindade?

Não, claro que não. De acordo com Lucas, tudo o que ele ouviu foi uma oração, uma oração de graça. E aquilo foi suficiente. Alguma coisa acontece ao homem que se coloca na presença de Deus. E alguma coisa aconteceu àquele ladrão.

Leia suas palavras novamente: "recebemos o que os nossos feitos mereciam... mas este nenhum mal fez".

A essência do Evangelho em uma frase. O cerne da eternidade através da boca de um salafrário:

Eu estou errado; Jesus está certo.

Eu errei; Jesus, não.

Eu mereço morrer; Jesus merece viver.

O ladrão tinha pouca informação prévia sobre Cristo, mas o que sabia era realmente precioso. Ele sabia que um homem inocente estava sofrendo uma morte injusta, sem ter qualquer reclamação em seus lábios. E, se Jesus pode fazer isso, então Ele realmente é quem diz ser.

Assim, o ladrão pede ajuda a Jesus: "Senhor, lembra-te de mim, quando entrares no teu Reino".

A cabeça de Jesus, pendente para a frente, levanta-se e vira-se para o lado. Os olhos de ambos se encontram. O que Jesus vê é um homem despido. Não digo isso em termos de roupas, mas em sentido figurado. Nada o cobria. Ele não tinha o que esconder.

Seu nome? Escória da sociedade. Seus grandes feitos? Morte por crucificação. Sua reputação? Criminoso. Seu caráter? Depravado até o último momento. Até a hora final. Até o derradeiro encontro.

Até agora.

Diga-me, o que este homem fez para ter direito a qualquer ajuda? Afinal, ele estragou sua própria vida. Quem ele é para pedir perdão? Zombou de Jesus publicamente. Que direito ele tem de fazer esta oração?

Você quer mesmo saber? O mesmo direito que você tem de fazer as suas orações.

Veja bem, ali estamos, você e eu, naquela cruz. Despidos, desolados, desesperados e distanciados de tudo. Aqueles dois somos nós. Nós é que estamos dizendo a Jesus: "Apesar de tudo o que eu já fiz, a despeito daquilo que você vê, há alguma possibilidade de você se lembrar de mim quando voltar para casa?"

Não nos vangloriamos. Não fazemos nossas listas. Qualquer sacrifício parece loucura quando colocado diante de Deus na cruz.

É muito mais do que merecemos. No entanto, estamos desesperados. Então, pedimos. Assim como muitos outros fizeram: o paralítico, junto ao tanque; Maria, nas bodas; Marta, no funeral; o endemoninhado gadareno; Nicodemos, à noite; Pedro, andando sobre o mar; Jairo, no meio da multidão; José, na estrebaria. E todos os outros seres humanos que ousaram se colocar diante do Filho de Deus e admitir que têm necessidade.

Tal qual o ladrão, nós ainda temos uma oração. E, como ele, a fazemos.

E nós, assim como o ladrão, ouvimos a voz da graça. *Hoje estarás comigo no Paraíso.*

E, do mesmo modo como o ladrão, conseguimos suportar a dor, sabendo que em breve Ele nos levará ao lar.

21

A Galeria do Removedor de Pedras

Que galeria, você não acha? Uma sala cheia de retratos do tipo "da dor à paz". Uma ala inteira de forças renovadas. Uma floresta de vigor restaurado.

Uma mostra de segundas chances.

Não seria incrível visitar uma exposição real como esta? Não seria fantástico caminhar por uma coleção verdadeira de "caniços rachados e pavios fumegantes"? E se você pudesse ver vários retratos dos encontros de Deus com pessoas nos seus momentos de dor? Não apenas personagens bíblicos, mas pessoas contemporâneas, iguais a você? Pessoas de sua geração e de seu mundo!

E se essa galeria contivesse não apenas a história dessas pessoas, mas também a minha e a sua? E se houvesse um lugar ali onde pudéssemos mostrar um pouco de nossa experiência de "antes" e "depois"? Bem, deve haver uma. Eu tenho uma idéia para uma galeria como esta. Pode parecer um pouco artificial, mas vale a pena contá-la.

Antes de fazê-lo, nós precisamos discutir uma questão final. Um ponto muito importante. Você acabou de ler uma história atrás da outra de encontros de Deus com pessoas que estavam feridas. Diga-me: por que essas histórias estão na Bíblia? Por que os evangelhos estão cheios de pessoas assim? Com tantas pessoas desesperadas? Embora a situação delas possa variar, suas condições são as mesmas. Elas estão presas. Alienadas. Rejeitadas. Não têm para onde ir. Em seus lábios, uma oração desesperada. Em seus corações, sonhos abandonados. E em suas mãos, uma esperança partida. No entanto, diante de seus olhos, está um Galileu que não desiste, que é mestre em aparecer quando todos somem.

As ações desse homem são surpreendentemente simples. Apenas palavras de misericórdia, com toques de bondade. Dedos sobre olhos cegos. Mãos sobre um ombro cansado. Palavras para os corações tristes... tudo cumprindo a profecia: "Não quebrará o caniço rachado, e não apagará o pavio fumegante".

Mais uma vez eu pergunto. Por que estes retratos estão na Bíblia? Por que esta galeria existe? Por que Deus nos dá uma história atrás da outra de vidas feridas sendo restauradas? Para que nós pudéssemos ser gratos pelo passado? Para que pudéssemos olhar para trás com surpresa por aquilo que Jesus fez?

Não. Não. Não. Mil vezes não. O propósito dessas histórias não é contar aquilo que Jesus *fez*. Seu propósito é nos dizer o que Ele *faz*.

"Porque tudo que dantes foi escrito para nosso ensino foi escrito, para que, pela paciência e consolação das Escrituras, tenhamos esperança" (Rm 15.4).

Estas não são apenas histórias da escola bíblica dominical. Não são fábulas românticas. Não são ilusões que podem ser encontradas no final do arco-íris. São momentos históricos, nos quais um Deus real se encontrou com dores reais de modo que pudéssemos responder à pergunta: "Onde está Deus quando eu sofro?"

Como Deus reage diante das esperanças perdidas? Leia a história de Jairo. Como o Pai se sente com relação àqueles que estão doentes? Fique com Ele ao lado do tanque de Betesda. Você anseia que Deus fale ao seu coração solitário? Então, ouça o que Ele fala aos discípulos no caminho de Emaús. Quais são as palavras de Deus para os que estão envergonhados? Veja o seu dedo desenhando na areia de Jerusalém.

Ele não está fazendo aquilo simplesmente por causa das pessoas. Está fazendo aquilo por mim. Está fazendo por você.

Isto nos leva à pintura final da nossa galeria: a sua. Agora que você acabou de ler este livro, pegue o pincel. Agora que já leu as histórias contadas aqui, reflita sobre a sua. Coloque-se em frente as duas telas que têm o seu nome e desenhe os seus dois retratos.

Não precisa ser numa tela com tinta. Pode ser num papel com lápis, num computador com palavras, numa escultura de barro, ou numa música com letra. Não importa como você a faça, mas realmente peço que você faça. Registre seu drama. Reconte a sua saga. Narre a sua jornada.

Comece com o "antes". Como era antes de você o conhecer? Você se lembra? Isso pode ter acontecido décadas atrás. Talvez tenha sido ontem. Talvez o conheça muito bem. Talvez tenha acabado de se encontrar com Ele. Mais uma vez, isso não importa. O que importa é que você nunca se esqueça como é a vida sem Ele.

As lembranças podem machucar. Partes do nosso passado não são agradáveis de se ver novamente. Mas a lembrança é necessária. "Irmãos, pensem no que vocês eram quando foram chamados", instruiu Paulo (1 Co 1.26 – NVI). Nós, os adotados, não podemos nos esquecer de como era a vida de órfãos. Nós, os libertos, devemos visitar a prisão. Nós, que fomos encontrados, não podemos nos esquecer do desespero daqueles que estão perdidos.

A amnésia gera arrogância. Não podemos nos dar ao luxo de esquecer. Nós precisamos nos lembrar.

Também precisamos compartilhar nossa história. Não com todos, mas com alguém. Existe alguém que é como você era. Essa pessoa precisa saber o que Deus pode fazer. O retrato honesto do seu passado pode ser a coragem para o futuro de outra pessoa.

Entretanto, não retrate apenas o passado; registre o presente. Descreva o seu toque. Mostre a diferença que Ele fez em sua vida. Essa tarefa tem seus desafios também. Enquanto o quadro do "antes" pode ser doloroso, a pintura do "presente" pode ser ininteligível. Afinal, Ele ainda não terminou o trabalho com você!

Ah, mas veja quão longe você chegou! Eu nem mesmo o conheço, porém sei que você já trilhou um longo caminho. Não houve um tempo em que sequer pegaria nas mãos um livro cristão? E, agora, olhe para você: está quase acabando de ler um! Deus começou uma obra em seu coração. E aquilo que Deus começa, Deus completa. "Tendo por certo isto mesmo: que aquele que em vós começou a boa obra a aperfeiçoará até ao Dia de Jesus Cristo" (Fp 1.6).

Portanto, faça uma narração daquilo que Cristo fez. Se Ele trouxe paz, desenhe uma pomba. Se trouxe alegria, pinte um arco-íris na parede. Se trouxe coragem, cante uma canção sobre removedores de montanha. Quando você tiver terminado, não esconda sua obra. Coloque-a em um lugar onde possa vê-la. Coloque-a num lugar onde possa ser lembrado diariamente do terno poder do Pai.

Quando todos nós chegarmos ao céu, faremos, então, uma enorme galeria.

Esta é minha idéia. Sei que é louca, mas e se todos fizermos uma galeria quando chegarmos ao lar? Não sei se esse tipo de coisa é permitido no céu. Todavia, algo me diz que o Pai não vai se importar. Além do mais, existe espaço de sobra e bastante tempo!

Imaginem só que quebra-gelo! Que maneira de fazer amigos! Dá para imaginar? Lá está Jonas, com uma baleia imensa. Moisés na frente de um arbusto em chamas. Davi dando lições de estilingue. Gideão deixando que as pessoas toquem a lã — *a* lã — e Abraão descrevendo uma pintura intitulada "A Noite das Mil Estrelas".

Você pode se assentar ao lado de Zaqueu em sua árvore. Um rapaz lhe mostra um cesto com cinco pães e dois peixes. Marta lhe dá as boas-vindas em sua cozinha. O centurião o convida a tocar a cruz.

Martinho Lutero está lá com o livro de Romanos. Susannah Wesley conta de que maneira orou por seus filhos Charles e John. Dwight Moody fala do dia em que deixou sua sapataria para pregar. E John Newton começa a cantar "*Preciosa Graça de Jesus*" com um coro angelical.

Alguns são famosos, mas a maioria não é... todos, porém, são heróis. Um soldado deixa que você se assente numa trincheira modelada de acordo com aquela na qual ele encontrou a Cristo. Uma dona de casa mostra seu Novo Testamento manchado com lágrimas. Ao lado de uma nigeriana está o missionário que lecionou para ela. Atrás do brasileiro, está o desenho do rio no qual ele foi batizado.

Em algum lugar no meio desta arena de esperança está a sua história. Cada vez mais pessoas estão chegando. Elas ouvem como se tivessem todo o tempo do mundo (e na verdade têm!). Elas o tratam como se você fosse da realeza (pois você realmente é!). Salomão lhe faz algumas perguntas. Jó elogia a sua determinação. Josué louva a sua coragem. E quando todos eles aplaudem, você aplaude também. Pois, no céu, todos sabem que todo louvor vai para uma única fonte.

E por falar na fonte, Ele também está representado na galeria celestial. Vire-se e dê uma olhada. Logo acima dos outros. No lugar de maior proeminência. Exatamente no meio. Ali existe um quadro bem alto, colocado numa plataforma acima de todos os outros. Visível de qualquer ponto da galeria, existe uma enorme pedra. Ela é arredondada. É pesada. É usada para selar a abertura de um sepulcro.

Mas não serve mais para isso. Pergunte a Maria e Maria. Pergunte a Pedro. Pergunte a Lázaro. Pergunte a qualquer um naquela galeria. Todos vão lhe dizer. As pedras nunca foram páreo para Deus.

Será que vai existir uma galeria como esta no céu? Quem sabe? Contudo, realmente sei que já houve uma pedra em frente a um sepulcro. Eu também sei que foi removida. Também sei que há pedras em seu caminho. Pedras que fazem tropeçar e outras que nos prendem. Pedras grandes demais para você.

Por favor, lembre-se que o objetivo dessas histórias não é nos ajudar a olhar para trás com surpresa, mas olhar para frente com fé. O Deus que falou no passado ainda fala hoje. O Deus que perdoou ainda perdoa. O Deus que veio ainda vem até nós. Ele veio ao nosso mundo. Ele veio ao seu mundo. Veio para fazer aquilo que você não pode fazer. Veio para mover as pedras que você não pode carregar.

As pedras não são páreo para Deus. Não foram antes e não são agora. Ele ainda remove pedras.